CW00421494

La quête de l'identité dan:

Basma Mahmoud

La quête de l'identité dans les romans de Patrick Modiano

Noor Publishing

Imprint
Any brand names and product names mentioned in this book are subject to
trademark, brand or patent protection and are trademarks or registered
trademarks of their respective holders. The use of brand names,
product names, common names, trade names, product descriptions etc. even without
a particular marking in this work is in no way to be construed to mean that
such names may be regarded as unrestricted in respect of trademark and
brand protection legislation and could thus be used by anyone.

Cover image: www.ingimage.com

Publisher:
Noor Publishing
is a trademark of
International Book Market Service Ltd., member of OmniScriptum Publishing
Group
17 Meldrum Street, Beau Bassin 71504, Mauritius

Printed at: see last page
ISBN: 978-620-0-06677-0

Zugl. / Agréé par: 2019 ,قنا, جامعة جنوب الوادى

Université de Minia
Faculté Al-Alsun
Département de Français

MINIA UNIVERSITY

La problématique de la quête de l'identité
dans les deux romans "Rue des boutiques obscures", et "Voyage de noces "de Patrick Modiano
Étude analytique.

Basma Mahmoud Mohamed Nour Eldeen

Abrégé

Basma Mahmoud Mohamed. La problématique de la quête de l'identité dans l'œuvre de Patrick Modiano. Thèse de Magistère. Université de Minia. Faculté Al-Alsun. Département de français. 2017.

Cette étude vise essentiellement à analyser l'œuvre de Patrick Modiano. Les principaux points d'analyse sont présentés dans trois chapitres comme suit.

* **Premier chapitre** : Les figures de la crise identitaire chez Modiano:
1- Modiano et la crise identitaire.
2-La misère de l'Occupation.
3-La déchirure familiale.
4-Les caractéristiques psychologiques du personnage chez Modiano
5-La communication non verbale chez les personnages Modianiens.
6-La crise de Modiano avec le nom

***Deuxième chapitre**: La sémiotique de l'espace dans l'œuvre de Patrick Modiano
1- L'espace et la sémiotique.
2- L'espace ouvert.
3- L'espace clos.
4- Les espaces opposés.

***Troisième chapitre**: L'œuvre Modianienne : Etude paratextuelle et narrative.
1- L'œuvre modianienne: étude d'une approche paratextuelle.
2- L'œuvre modianienne: étude d'une approche narrative.

La méthode
Dans notre thèse nous nous appuyons sur les approches suivantes :

1-une méthode thématique(les psychologues Alex Mucchili et Edmond Marc et le sociologue Michael Fize, les spécialistes de la communication non verbale comme Guy Barrier, Yves Winkin et Jacques cosnier)

2-une méthode sémiotique (Charles Sanders PEIRCE, Gaston Bachelard, Louis Hébert et Jean-Claude Domenjoz)
3-une méthode paratextuelle et narrative (Vincent Jouve, Gérard Genette)

La problématique

Notre thèse tente de repondre à ces questions: Est-ce que l'écriture de Modiano exprime la perte de l'identité? Quelles sont les raisons qui poussent l'homme à quêter son identité? Quel est l'impact de l'Occupation sur la génération qui vient après la seconde guerre mondiale?

À mes enfants
À mon mari

Remerciement

Toute ma reconnaissance est dédiée à Mme le professeur docteur **Amany Mohamed Magdy** dont les directives judicieuses m'ont frayé le chemin clair et net vers la base scientifique du choix d'un tel thème si nécessaire. Elle m'a honoré de diriger la thèse et n'a épargné aucun effort à me donner ses conseils pertinents, tout avec patience et un beau sourire bienveillant.

Cette étude a largement bénéficié des directives pertinentes du professeur docteur **Khaled Mohamed Abdellah**. Ses efforts honnêtes pour mettre sur pied cette thèse sont dignes de ma profonde gratitude et de mes remerciements les plus sincères. Je le remercie pour sa soutenance interminable.

Mes grands remerciements vont particulièrement aux membres du Jury, à Mme le professeur docteur **Fatma khalil** et M le professeur docteur **Taha Roushdy Taha**; qui acceptent d'assister pour me procurer de leurs remarques pertinentes et leurs conseils judicieux.

Je remercie **Dr Manal Mamdouh** et **mon camarade, M Ahmed Abdelmawgoud** pour leur aide. Tous mes remerciements sincères à la femme qui me donne encore sans condition : **Ma mère**, A l'esprit de **mon père**. Je remercie **mon mari Hany Mohamed frères**, mes deux enfant**s, Toka et Ahmed**, et **tous ceux qui m'ont aidé et m'ont souhaité le bien.**

6

Résumé

« La problématique de la quête de l'identité dans l'œuvre de Patrick Modiano : étude thématique et analytique » est le thème principal de cette recherche. Le corpus choisi renferme deux romans : <u>Rue des boutiques obscures</u> et <u>Voyage de noces</u>. Les approches suivies sont l'approche thématique, sémiotique, narrative et paratextuelle.

Notre investigation s'intéresse avant tout à exposer et à déchiffrer les figures, les causes et les conséquences de la crise identitaire dans l'écriture de Patrick Modiano.

Le premier chapitre de la thèse étudie les figures de la crise identitaire en montrant le problème de Modiano avec l'identité. Il aborde **les années noires de l'Occupation allemande** en France et l'obsession de cette période sur la pensée de notre écrivain. Aussi discuterons-nous le thème de **la déchirure familiale**, l'absence du père, la négligence de la mère et la mort du frère dans la vie de notre écrivain. Nous ne pouvons pas oublier le côté psychologique en montrant quelques phénomènes concernant le héros modianien comme **l'errance et la marginalité.** Nous mettrons en relief **la communication non verbale** chez les personnages modiniens et la **fonctiondu choix des noms propres** chez ces personnages.

Dans le deuxième chapitre, nous mettrons l'accent sur la question de l'espace en utilisant l'approche sémiotique. Cette étude sera dans le but de compléter le spectacle en mettant en relief **la problématique de la quête de l'identité dans les lieux comme un fil conducteur.** Nous montrons la diversité de l'espace chez Modiano, il y a **un espace clos**, un **espace ouvert.**

Le troisième chapitre est une sorte de relecture de l'œuvre modianienne avec une approche **narrative et paratextuelle**. Nous déchiffrerons si de telles approches aident à présenter une analyse profonde de la problématique. **Y a-t-il unecohérence entre le texte et le paratexte?** Cette cohérence approuve –t-il la performance du narrateur et affirme l'unité du thème?... Aussi essayerons-nous explorer si la méthode narrative nous a aidé à déduire un narrateur-type chez notre écrivain.

Avant-propos

Avant-propos

Patrick Modiano est un écrivain français né le 30 juillet 1945 à Boulogne Billancourt. Ses parents se sont rencontrés dans le Paris occupé et ont vécu le début de leur relation dans une semi-clandestinité. Son enfance se déroule dans une atmosphère particulière : entre l'absence de son père et les tournées de sa mère, il achève sa scolarité de collège en pension. Cela le rapproche de son frère, Rudy, qui meurt de maladie à l'âge de dix ans (les ouvrages de Patrick Modiano lui sont dédiés de 1967 à 1982). Cette disparition annonce la fin de l'enfance de l'auteur.

Rue des Boutiques obscures

Rue des Boutiques obscures est le sixième roman de Patrick Modiano. Paru le 5 septembre 1978, Il se compose de 251 pages. Modiano a été récompensé la même année par le prix Goncourt.Guy Roland le héros décide après la retraite de son patron Hutte de retrouver sa propre identité qu'il a perdue après un accident mystérieux qui l'a laissé amnésique depuis plus de 15 ans. Au début de son voyage de la recherche, il apprend qu'il se nomme Jimmy Pedro Stern, un grec-juif de Salonique vivant à Paris sous un nom d'emprunt, Pedro McEvoy. Ce Pedro McEvoy a un nombre d'amis, Denise Coudreuse un mannequin français qui partage sa vie, Freddie Howard de Luz, Gay Orlow, Dédé Wildmer, qui décident en 1940 d'arriver à Megève afin de fuir un Paris obscur sous l'Occupation allemande. Denise et Pedro, qui avaient décidé de partir pour la Suisse, payèrent un passeur qui les abandonne dans la montagne, les laissant seuls et perdus dans la neige. Il ne reste plus à Guy-Pedro Stern qu'une dernière piste pour retrouver le passé : une adresse qu'il l'occupe à Rome, dans les années 1930, au 2, rue des Boutiques obscures (*Via delle*

BottegheOscure). Ce roman achève un grand succès dans le milieu littéraire.

Voyage de noces

En ce qui concerne le deuxième roman intitulé *Voyage de noces* publié en 1990, il se compose de 157 pages. Ce roman est très significatif dans le contexte d'une œuvre concentrée sur la quête identitaire sous la misère de l'Occupation et le retour au passé .

Jean le narrateur, un homme de quarante ans, en voyage à Milan pendant le mois d'août et qui apprend qu'une Française a mis fin à ses jours dans un hôtel milanais. En s'intéressant de plus près à ce tragique destin, il découvre qu'il connaissait la femme en question. Il s'égare alors dans les souvenirs du passé. De retour à Paris, il organise sa propre disparition et décide de laisser ses proches pour repartir sur les traces d'Ingrid Thyrsen et de son mari Rigaud. La biographie d'Ingrid, qu'il avait entrepris le ramène dans le passé, lorsque Ingrid et Rigaud fuyaient la guerre et s'étaient réfugiés dans un hôtel de la Côte d'Azur.

La difficulté de l'existence est un axe commun entre les deux romans mais chaque roman lance la problématique d'un point du vue différent.

Introduction générale

Depuis la nuit des temps, la question : Qui suis-je? occupe l'esprit de l'homme surtout après la brutalité de la mondialisation. L'homme se trouve en proie aux maladies psychologiques. Il souffre de l'incapacité d'affronter ce monde matériel, cet essor grandissant de la société de consommation et du capitalisme dévorant. D'ici vient l'importance de confirmer son existence ou de quêter son identité pour être capable d'affronter les défis de notre temps difficile.

Après la Révolution Egyptienne 25 Janvier avec le bouleversement des critères, la divergence des idées et la différence intense des tendances, nous trouvons que la société égyptienne affronte une crise avec l'identité. Est-ce que nous appartenons à une identité arabe, à une identité musulmane ou à une identité laïque? De ce moment et avec toutes ces circonstances qui se passent dans notre société, nous avons une inspiration de l'importance de discuter la problématique de l'identité. Quelle est l'importance de définir l'identité d'une personne? Quelles sont les raisons de perdre l'identité?

La problématique de l'identité est une problématique mondiale, A la tête de ces écrivains qui ont abordé la problématique de l'identité est Patrick Modiano. Nous avons choisi la littérature de Modiano pour deux raisons : La première raison concerne notre passion pour la littérature engagée. patrick Modiano assume la responsabilité de sa génération qui vient après la seconde guerre mondiale. La deuxième raison s'attache à notre but de discuter la problèmatique de l'identité dans l'écriture de Modiano.

Comme nous savons que la littérature est le miroir de la société. La problématique de la quête de l'identité a toujours intéressé les écrivains. Modiano vit dans un milieu familial fragmenté : entre l'absence du père à cause de la menace de l'Occupation allemande qui persécute les juifs, la négligence de la mère à cause de son métier comme une actrice, la mort du frère à cause de la leucémie à l'âge de dix ans. De son nom, Modiano a hérité un métissage culturel belge, français, hongrois, italien de ses parents, de surcroît de son origine juive. **Le déracinement, la misère de l'Occupation allemande en France et la quête identitaire sont des axes principaux dans ses œuvres .**

Les œuvres de Modiano sont comme un métissage qui rattache l'histoire familiale d'une part à l'histoire collective du XXe siècle d'autre part surtout la deuxième guerre mondiale. **Il est considèré comme le porte-parole de sa génération voire il est un écrivain–engagé,** Par conséquent, Modiano reçoit le prix Nobel en 2014 grâce à son habilité à présenter la vie des gens dans la période de l'Occupation allemande en France.

A travers notre étude, nous essayons de mettre la lumière sur le thème : **La problématique de la quête de l'identité dans l'œuvre de Patrick Modiano** en déchiffrant   **la crise identitaire dans l'écriture de Modiano. Comment la société et la famille influencent la formation de la personnalité de l'homme.** D'autre part, notre étude tentera de chercher **les raisons qui poussent l'homme à quêter son identité en montrant si la quête de l'identité est le syndrome des autres phénomènes psychologiques comme la nostalgie, l'errance et la marginalité ou non. Nous n'oublions pas le côté narratif en élucidant comment l'écriture modianienne traduit la crise de l'identité chez ses personnages.**

Cette thèse est divisée en trois chapitres, le premier chapitre intitulé : **Les figures de la crise identitaire chez Patrick Modiano,** traitera la mémoire de l'Occupation allemande en France après la seconde guerre mondiale et son influence à créer une génération misérable. Aussi discuterons-nous le thème de la déchirure familiale en montrant le problème de l'absence du père et la négligence de la mère dans la vie de l'homme, également nous mettrons en relief le rôle de l'Occupation et la déchirure familiale dans la formation d'une identité fragmentée. De plus, nous expliquerons les caractéristiques psychiques chez ses personnages. Nous abordons la communication non verbale entre les personnages modianiens et la crise de Modiano avec le nom. Alors, ce seront cinq axes principaux que nous étudierons dans ce chapitre :

1-Modiano et la crise identitaire

2-La misère de l'Occupation

3-La déchirure familiale

4- les caractéristiques psychologiques chez ses personnages.

5-La communication non verbale chez les personnages modianiens

Nous utiliserons dans ce chapitre la méthode thématique d'après les psychologues Alex Mucchili et Edmond Marc et le sociologue Michael Fize, les spécialistes de la communication non verbale comme Guy Barrier, Yves Winkin et Jacques cosnier.

Dans le deuxième chapitre intitulé : **La sémiotique de l'espace dans l'œuvre de Modiano,** nous mettrons en relief le thème de l'espace d'après une approche sémiotique. Dans ce chapitre, nous montrerons les types différents de l'espace comme l'espace ouvert, l'espace clos, les espaces opposés. Nous diviserons ce chapitre en trois axes :

1-L'espace ouvert

2-L'espace clos

3-Les espaces opposés

Nous utiliserons dans ce chapitre la méthode sémiotique d'après Charles Sanders PEIRCE, Jean-Claude Domenjoz, Louis Hébert et Gaston BACHELARD.

Le troisième chapitre est une partie stylistique plus que littéraire. Il est intitulé : **L'œuvre modianienne: étude paratextuelle et narrative**. Nous y étudierons les deux romans d'après une approche paratextuelle et narrative. Nous mettrons la lumière sur l'importance des éléments hors-texte à comprendre le message intérieur du texte comme le titre, le nom de l'auteur, la couverture et l'incipit. En ce qui concerne l'approche narrative, nous tenterons d'étudier les fonctions de la narration dans l'écriture modianienne en montrant son narrateur-type. Nous utiliserons dans ce chapitre la méthode paratextuelle et narrative d'après les œuvres de Vincent Jouve, Philippe Lane et Gérard Genette.

A la fin de notre étude, nous essayerons de dégager les résultats de notre recherche. Ces résultats peuvent nous servir à juger l'œuvre étudiée et à tracer le chemin pour d'autres études postérieures concernant la problématique de la quête de l'identité en général ou bien concernant l'œuvre de Patrick Modiano et tout ce qu'elle comporte de richesse thématique.

Premier chapitre

Les figures de la crise identitaire chez Modiano

Introduction

Le premier chapitre abordera les figures de la crise identitaire chez Modiano en déterminant le problème de Modiano avec l'identité. De plus, il traite les années noires de l'Occupation allemande et l'obsession de cette période sur la pensée de notre écrivain. Aussi discuterons-nous le thème de la déchirure familiale; ses figures; ses causes et ses conséquences. Nous ne pouvons pas oublier les traits psychologiques chez les personnages modianiens comme la marginalité et l'errance. D'autre part, nous mettons l'accent sur la crise identitaire d'après la communication non verbale chez les personnages modianiens et leur crise avec le nom.

Alors, ce seront cinq axes principaux que nous étudierons dans ce chapitre en essayant de répondre aux questions suivantes: **Quel est le problème de Modiano avec l'identité? Que signifie l'identité personnelle? Que signifie l'identité sociale? Pourquoi Patrick Modiano, né en 1945 au moment de la libération de la France, est-il obsédé par cette période dont il n'a pas connu la souffrance? Comment collecte Patrick Modiano ses informations concernant cette période pour créer des personnages vivants? Qu'est ce que la famille? Quel est son rôle à construire un bon homme? Quelle est l'image du père aux yeux de Modiano? Quelle est l'image de la mère pour Modiano? Comment la mort du frère de Modiano influence sa vie? Comment tente Modiano de créer une famille idyllique imaginaire selon les romans mentionnés dans notre travail? Quelle est la différence entre l'errance physique et l'errance onirique? Quelle est la signification de la marginalité? Comment la communication non verbale chez des personnages modianiens exprime leur crise identitaire? Quel est le problème de Modiano avec le nom?**

Tout au long de notre présentation, nous offrirons les définitions des expressions utilisées et discutées au début de chaque partie comme une sorte de mise en relief d'une manière plus méthodique. À Travers la réponse à toutes ces questions, nous pouvons mettre en relief la problématique du chapitre intitulé: Les figures de la crise identitaire chez Modiano.

I-Modiano et la crise identitaire

Dans cet axe, nous mettons l'accent sur la crise de l'identité chez Modiano. En général, L'homme à partir de sa naissance porte quelques informations dans sa carte d'identité; son nom, son prénom, sa nationalité, son âge, sa religion, ces informations déterminent son identité au milieu de sa société. Quand l'homme perd ces informations, il affronte beaucoup de problèmes, il devient dans une grande crise, c'est-à-dire, avoir un nom, des papiers, un passé, une mémoire et une personnalité sont les éléments fondamentaux de former une identité. **Le problème de Modiano avec la crise de l'identité concerne surtout l'identité personnelle(le soi) et l'identité sociale (la société).**

1- L'identité personnelle

L'identité personnelle est un des axes de la crise de l'identité chez Modiano. De premier regard sur cette expression, nous pouvons comprendre que l'identité personnelle est l'identité subjective, privée, particulière de l'homme. Selon le psychologue **Edmond Marc**[1] dans son œuvre *Psychologie de l'identité : soi et le groupe*:

"L'identité personnelle renvoie le plus souvent à la conscience de soi comme individualité singulière, douée d'une certaine constance et d'une certaine unicité."[2]

---

[1]**Edmond Marc** est Docteur en psychologie, docteur ès lettres et sciences humaines, diplômé de l'IEP de Paris.
[2] MARC, Edmond, **Psychologie de l'identité : soi et le groupe**, Paris, Dunod, 2005, p. 122.

L'identité personnelle signifie précisément l'individualité de l'homme qui reste constante dans le temps. Un des droits principaux de l'homme consiste à savoir son nom, safamille, son entourage pour sentir la sécurité, la solidarité et l'appartenance.

En revanche, quand l'homme perd un des axes qui forment son identité personnelle, il sent **l'insécurité, la marginalité, l'étrangeté** dans sa société et **l'exclusion** comme dans le cas de Modiano. Dans le point suivant, nous allons exposer le modèle exemplaire de la perte de l'identité Personnelle dans *Rue des boutiques obscures*.

1-1- Le modèle de la quête de l'identité personnelle : Guy Roland dans *Rue des boutiques obscures*

Dans l'œuvre de Patrick Modiano, l'identité des personnages est incertaine. Ces personnages ne jouissent jamais une identité stable et définie. En analysant *Rue des boutiques obscures*, le héros Guy Roland souffre des maladies identitaires comme le changement de l'identité:

"Reste le problème des faux noms ou, si l'on préfère, des noms d'emprunt. Car il existe des noms dans lesquels on ne fait que passer et qui de ce fait étrangers ou bien français sont aussi des marques de déracinement. Cette constante bien présente est une des principales articulations de Rue des boutiques obscures, œuvre maîtresse, on ne peut le nier, à maint niveau. On sait que le protagoniste du livre passe par quatre noms:

-Guy Roland

-Freddie Howard de Luz

-Pedro McEvoy

-Jimmy Pedro Stern."[1]

---

[1]GELLINGS, Paul, **Poésie et mythe dans l'oeuvre de Patrick Modiano, le fardeau du nomade**, Paris-Caen, Lettres modernes Minard, coll. « Situation 55 », 2000.p.33

Alors , Guy Roland passe par quatre identités sans arriver à son identité véritable. Au départ, il est Guy Roland, puis il prend une deuxième identité Freddie, puis pedro McEvoy et enfin Jimmy Pedro Stern. Il est une personne qui n'a ni passé ni mémoire à cause de son amnésie. Il avait des papiers que Hutte lui a donnés, mais il manque à sa vie la plus importante, **le souvenir de ses années passées**. C'est pourquoi, Guy prononce sa volonté de montrer sa vie antérieure et de se reconstruire. Au début de sa quête, Guy dit:

"Je ne suis rien,
Rien qu'une silhouette Claire."[1]

Dès que Guy Roland le héros décide de quêter son identité, il retombe dans son état premier durant douze ans avant de rencontrer Hutte. Il y a une opposition entre les deux états. Au moment où il commence sa quête, il a une identité (Guy Roland) à la quelle il appartient en même temps, il sait que c'est une fausse identité mais il est au moins quelqu'un au lieu de n'avoir aucune identité à cause de son amnésie.

Guy commence à se justifier et à identifier de plus en plus à Freddie. Cette nouvelle voie vient grâce à une ressemblance entre lui et une personne qui se trouve dans une photo que Stioppa lui a donnée. Lors que Guy discute avec Waldo Blunt, il s'interroge pour la première fois sur le sens de sa quête identitaire. Il est possible d'entendre la voix de Modiano à travers cet extrait, où Guy résonne en se posant des questions:

"Là, sous les arbres du quai, j'ai eu l'impression désagréable de rêver.
J'avais déjà vécu ma vie et je n'étais plus qu'un revenant qui flottait dans
l'air tiède d'un samedi soir. Pourquoi vouloir renouer des liens qui

---

[1] MODIANO (Patrick), **" Rue des boutiques obscures**, Paris, Gallimard, 1978, P.11

avaient été sectionnés et chercher des passages murés depuis longtemps."[1]

Le narrateur sait qu'il est comme l'ombre, recherche sa vie antérieure mais sans utilité. On trouve aussi une sorte de perte d'espoir dans la vie prochaine. Il est dominé par le sentiment de ne pas exister, un sentiment de néant et d'étrangeté vis-à-vis de lui-même aussi du monde qui l'entoure. De plus, la question proposée montre la faiblesse et l'incapacité du narrateur envers la vie, c'est l'impression de Modiano lui-même.Après l'identification à Freddie Howard de Luz, Guy commence à imaginer la vie de Freddie:

"Si j'étais cet Howard de Luz, j'avais dû faire preuve d'une certaine originalité dans ma vie, puisque, parmi tant de métiers plus honorables et plus captivants les uns que les autres j'avais choisi celui d'être « le Confident de John Gilbert."[2]

Il tente de trouver des preuves de son identification à Freddie Howard de Luz afin de confirmer cette identité. Ensuite, Guy continue sa tentative en visitant le château de la famille Howard de Luz. Il s'imagine jouer dans ce jardin dans une enfance heureuse et tranquille mais malheureusement, l'ancien jardinier de la famille Howard de Luz qui connait personnellement Freddie ne connait jamais Guy. Dans ce moment, Guy s'assure qu'il marche dans la fausse voie.

Puis, il commence une autre étape, l'identification de Guy à Pedro McEvoy. Comme dans le cas de Freddie Howard de Luz, Guy ne connait aucune information concernant Pedro McEvoy. C'est la deuxième fois, Guy s'identifie sans aucune preuve:

"Je me répétais à moi-même ce prénom qu'on m'avait donné à ma naissance, ce prénom avec lequel on m'avait appelé pendant toute une

---

[1] MODIANO (Patrick), **" Rue des boutiques obscures**", P.62

[2] ID, Ibid, p,65

partie de ma vie et qui avait évoqué mon visage pour quelques personnes.
Pedro. "[1]

Il refuse d'être Guy Roland mais en même temps il refuse d'être Pedro
McEvoy. **Il arrive à l'état du néant**: *"Les lettres dansent. Qui suis-je ?"[2]*
Il ne se sent plus dans la peau de Guy Roland mais il ne se sent pas
encore dans celle de Pedro pour autant. Il se retrouve retombé dans le
vide ; il ne sait plus quelle est son identité.

Quant à l'identification finale, André Wildmer, un personnage secondaire,
connait Guy et lui donne l'identification de Jimmy Pedro Stern. D'ici, les
récits du passé commencent dans la narration. Les souvenirs de la fuite
viennent:

"Maintenant, il suffit de fermer les yeux. Les événements qui précédèrent
notre départ à tous pour Megève me reviennent, par bribes, à la
mémoire."[3] Dans ce passage, Guy Roland pour la première fois est
capable de faire quelques chose, il est capable de rêver et de se souvenir
surtout de son voyage de la fuite vers la suisse avec Denise. La fin de la
quête arrive à rien, ce voyage ne peut pas aider Guy Roland, quand il
trouve une preuve selon lui convaincante, il forme une identité mais
comme les indices sont parfois trompeurs, l'identité qu'il se crée est aussi
fausse. Nous pouvons comparer le déroulement de l'enquête de Guy à un
jeu de billard:

"C'est le jeu de Modiano, ou plutôt une expression métaphorique de la
manière dont il agence son récit. Comme au billard, le roman dépend
d'un mouvement qui fait éclater l'ordre préexistant (l'amnésie) et qui
établit un nouvel ordre (identification avec Freddie) et qui sera le point
de départ du mouvement suivant (identification avec Pedro). Et comme

---

[1]MODIANO (Patrick), **" Rue des boutiques obscures**", P. 97
[2]ID, Ibid, p,106
[3]ID, Ibid, p, 208.

au billard, il s'agit de transformer la suite des coups en une série continue (voyage sans limites)."[1]

3-L'identité sociale

Quand l'homme est né dans une certaine société, il doit assumer ses lois et ses traditions afin de s'intégrer dans cette société. On peut définir l'identité sociale comme l'ensemble des critères qui permettent une définition sociale de l'individu ou du groupe, c'est-à-dire qui permettent de l'intégrer dans sa société. Alex Mucchielli definit l'identité sociale en disant :

"C'est l'ensemble des critères qui permettent une définition sociale de l'individu ou du groupe, c'est-à-dire qui permettent de le situer dans sa société. [...] C'est l'identité consensuelle donné par une
grande partie des autres individus et groupes de la société"[2]

Le monde extérieur est un axe principal à former l'identité subjective à travers l'influence sur les actes et le psychisme de l'homme. On trouve un état de l'interaction de l'individu avec le monde. La société est la seule qui accepte l'individu ou le refuse. Parfois, la société est peut-être hostile à l'homme et refuse son intégration comme le cas de notre travail, l'origine juive est une cause très importante à exclure certains personnages dans les deux romans mentionnés, de plus, leur sentiment de persécution, d'oppression. Dans le point suivant, nous allons exposer le problème de l'origine juive et son rôle dans la formation d'une identité instable et fragmentée selon l'écriture de Modiano.

---

[1]NETTELBECK, Colin W., et HUESTON, Pénélope A., **Patrick Modiano, pièces d'identité : écrire l'entretemps**, Paris, Lettres modernes, 1986, p. 99.
[2]MUCCHIELLI, Alex**, L'Identité,** Paris, Presses universitaires de France, 2009, p. 16.

3-1-L'héritage difficile de la Judaïté : Ingrid Thyrsen dans *Voyage de noces*

"Qui suis –je" est la question de tous les personnages de Modiano comme Guy Roland l'amnésique de *Rue des boutiques obscures*, ce qu'il cherche son identité mais malheureusement, il n'arrive à rien. **Donc, il y a une relation étroite entre la quête des origines et la quête de l'identité. La quête de l'origine est une sorte de critères de la quête de l'identité.**

On ne peut pas nier essentiellement que l'origine de Modiano est juive, il porte l'héritage difficile de la Judaïté malgré lui. Cette époque de la seconde guerre mondiale voit un état de persécution dans la société contre les Juifs surtout qui viennent des autres pays:

" L'antisémitisme est présenté comme une réalité inévitable, mais insupportable – et d'autant plus difficile à admettre, en France, par des Juifs nouvellement arrivés d'autres pays : il représente en effet une difficulté supplémentaire à l'intégration à la société."[1]

La société refuse l'intégration des juifs. La seule solution devant ces juifs persécutés est la quête de leur identité afin de trouver une nouvelle existence, une nouvelle vie sans menace, sans oppression. Pour échapper à la destruction de l'homme et à la perte de son identité, il doit quêter son identité et pour trouver cette identité il doit trouver son origine et c'est le cas de la plupart des personnages de Modiano qui sont une réflexion de lui :*"La quête d'une généalogie ou simplement de soi-même, pour incertaine et risquée qu'elle soit, est un remède à l'insupportable déstructuration de l'être."[2]*

---

[1] LÉVY, Clara, **Écriture de l'identité : les écrivains juifs après la Shoah**, Paris, Presses universitaires de France, 1998, p. 65.
[2] LAURENT (Thierry), **L'œuvre de Patrick Modiano, une autofiction**, Presses Universitaires de Lyon, 1997, p. 70

En ce qui concerne le traitement de la Judaïté chez Modiano, les critiques sont différents dans leur point du vue. **Baptiste Roux**[1], par exemple voit que la Judaïté présente un axe central dans l'écriture de Modiano surtout dans sa quête identitaire:

"Les romans de Modiano peuvent être considérés comme les jalons d'un parcours houleux avec le judaïsme et l'identité juive. Dès les premières œuvres – qui font état de l'impossibilité d'effectuer un choix entre l'identité française et l'héritage juif- à la longue plainte de Dora Bruder, chaque roman pose la question de l'acceptation des origines."[2]

Le roman La place de l'étoile est une incarnation du problème de la Judaïté. Le narrateur souffre à cause de son origine:*"Vous êtes juif, par conséquent, vous n'avez pas le sens du commerce ni des affaires. Il faut laisser ce privilège aux Français."*[3]L'origine juive devient un obstacle devant le narrateur à l'intégration dans la société.

Au contraire, grâce au métissage culturel dont est issu Modiano puisque sa famille avait de siècle en siècle émigré plusieurs fois: de Modène à Trieste, Salonique, Alexandrie, et en fin Paris, nous trouvons que la Judaïté occupe la pensée de Modiano jusqu'à la période de l'adolescence mais après cela, il commence à déterminer sa voie et sa carrière. Dans la période de l'adolescence, l'homme a besoin de savoir ses racines mais une fois capable de travailler, de gagner l'argent, il devient indépendant. **Thierry Laurent** confirme notre avis en disant:

"Mais pour autant, la judaïté restera assez étrangère au quotidien de ce cosmopolite. On netrouve aucune allusion dans l'œuvre à la religion et

---

[1] Baptiste Roux est docteur ès lettres, spécialiste de Patrick Modiano, et professeur agrégé en classes préparatoires.
[2] ROUX, Baptiste **Figures de l'Occupation dans l'œuvre de Patrick Modiano**, Paris, L'Harmattan, 1999, p. 284
[3] MODIANO (Patrick**), La Place de l'Étoile**, Paris , Gallimard, 1968, P.55

aux coutumes juives, simplement desévocations du juif comme personnage bizarre, marginal ou mal dans sa peau, bref«existentiellement» apatride et seul."[1]

Modiano après son premier roman, il présente quelques modèles qui reflètent le problème de son origine juive avec la société. Ingrid Thyrsen dans *Voyage de noces* est le modèle exemplaire de la misère juive. Elle souffre de l'absence de son père, elle souffre de l'instabilité et de l'insécurité parce qu'elle est d'origine autrichienne qui est persécutée dans ce temps. Elle a recouru à l'identité cachée pour échapper à la menace de l'Occupation. Elle se marie avec Rigaud qui présente à elle la sécurité. Tout au long du roman, Ingrid tente de se cacher du monde. Durablement, elle quête quelque chose:

"Après la guerre, pendant cinq ou six ans, Rigaud et Ingrid avaient vécu dans le Midi, mais je ne possédais aucun renseignement sur cette période. Puis Ingrid était partie en Amérique, sans Rigaud. Elle y avait suivi un producteur de cinéma. Là-bas, ce producteur avait voulu lui faire jouer quelques rôles de figuration dans des films sans importance. Rigaud était venu la rejoindre, elle avait abandonné le producteur et le cinéma. Elle s'était de nouveau séparée de Rigaud........"[2] En un mot, nous trouvons l'instabilité aux pas de ces personnages modianiens.

II-La misère de l'Occupation

Patrick Modiano a obtenu le prix Nobel en 2014 **grâce à son talent à l'incarnation de la souffrance des gens pendant une période très difficile dans l'Histoire de France.** Bien qu'il ne vive jamais cette période il a réussi à revivre la mémoire de l'Occupation allemande en France. L'évocation de cette période est un des thèmes principaux dans

---

[1] LAURENT, Thierry, Op, Cit, pp. 67-68
[2] MODIANO (Patrick), **" Voyage de noces"**, Paris, Gallimard, 1990, p.30

l'œuvre modianienne. Dans cet axe, nous aborderons le point de la prédominance de l'Occupation dans la pensée de notre écrivain. **Baptiste Roux** marque à l'introduction de son étude *Figures de l'Occupation chez Patrick Modiano*que:

*"Parmi les écrivains français nés après la Seconde Guerre mondiale, Patrick Modiano est celui qui a accordé dans ses œuvres la place la plus importante **à la mémoire et aux souvenirs liés à cette période historique**. [.....] Cette fascination pour une époque inconnue, dont l'exploration incessante a fini par constituer aux yeux du public la « marque de fabrique » du romancier embrasse la totalité de sa création littéraire."*[1]

En effet, Modiano met l'accent sur la mémoire ayant les souvenirs dans la période de l'Occupation allemande. Il présente des personnages vécus cette période en reflétant sa mémoire individuelle concentrée sur sa famille, son père, sa mère et son frère. De plus, il met la lumière sur la relation de ses personnages dans leur société en formant une mémoire collective. Par conséquent, la mémoire chez Modiano devient un thème central afin de retrouver des gens disparus.Mais la question ici, **Pourquoi Patrick Modiano, né en 1945 au moment de la libération de la France, est-il obsédé par cette période dont il n'a pas connu la souffrance?**

En réalité, l'idée de l'Occupation est dominante dans l'écriture de Modiano :

> *" Je me suis intéressé à l'Occupation,*
> *Car je suis un produit de cette période"*[2]

---

[1] ROUX, Baptiste, Op, Cit, p.9

[2] KAPRIÈLIAN (Nelly), Entretien,**« Patrick Modiano : "C'est l'oubli le fond du problème, pas la mémoire" »,** Les In Rocks, 2012, Consulté le 12 août 2014, disponible sur http://www.lesinrocks.com/2012/09/30/livres/modiano-herbe-des-nuits-entretien-11307847/

Cette dominance vient de beaucoup de raisons. **La première raison** est résumée à ce que Modiano appartient à **la génération d'après** qui souffre la misère de la guerre après sa fin:

"Henri Raczymow, Gérard Wacjmann, Pierre Goldmann,.... et de façon complexe Patrick Modiano, appartiennent à cette génération qui est née pendant ou au lendemain de la guerre, est restée piégée dans ses décombres, légataire d'une histoire irreprésentable et d'un récit impossible ou empêché."[1]

L'omniprésence de l'Occupation dans l'écriture de Modiano est un trait marquant de la génération d'après. De plus, Modiano trouve dans cette période misérable un matériau dramatique de l'écriture. Certainement, la vie de l'occupation se distingue par la variété. Il laisse la vie ordinaire des gens qui n'attire pas l'attention. C'est le charme de Modiano, il n'est pas comme les autres.

L'autre axe, Modiano est *un produit de cette période:*

"Comme tous les gens qui n'ont ni terroir ni racines, je suis obsédé par ma préhistoire. Et ma préhistoire, c'est la période trouble et honteuse de l'Occupation : j'ai toujours eu le sentiment pour d'obscures raisons d'ordre familial, que j'étais né de ce cauchemar."[2]

Il fait de ses parents des intermédiaires de la période de l'Occupation surtout son père. Ainsi, fait Modiano une incarnation et une stimulation de la vie de ses parents qui sont toujours absents. Dans un entretien accordé à Jacques Chancel en 1972, il avoue avoir beaucoup lu sur la période de l'Occupation ; il a lu des anciens journaux, des pamphlets, des papiers juridiques mais aussi des ouvrages historiques. Par conséquent, Les souvenirs mentionnés dans *Rue des boutiques obscures* et *voyage de*

---

[1] JULIEN, Anne-Yvonne, Op, Cit, p.28
[2] EZINE, Jean Louis, Entretien, **Les écrivains sur la sellette**. Paris: Le Seuil, 1981.p.22

noces sont alors visuels. Bien que Modiano ne vive pas la période de l'occupation, il est né au moment où éclate la guerre d'Algérie qui dure de 1954 à 1962, à propos de laquelle il s'exprime :

"La guerre d'Algérie avait marqué l'adolescence des gens de mon âge. Il y avait la tonalité d'un Paris quadrillé, sous surveillance policière. A une époque, il y avait même un couvre-feu pour les mineurs de moins 16 ans."[1]

En réalité, Modiano fait revivre une époque révolue et crée une atmosphère ambigüe. D'autre part, on ne peut pas oublier l'origine de Modiano qu'il est essentiellement juif et cette période se distingue par la dictature des allemands pour les juifs. De toutes ces idées, nous justifions l'adoption de Modiano de la période de l'Occupation allemande. La vie avec **la mémoire de l'Occupation et la misère de la guerre aboutissent à une crise très grave et celle est la perte de l'identité.**

Quant à la vie sous l'Occupation, L'Occupation de la France par les allemands Nazis a commencé en 1940, avec la signature de l'armistice, et se termine avec la libération qui intervient en 1944.

"La vie en France sous l'Occupation allemande se caractérise par la pénurie et par la dictature .comme tous les pays occupés, la France a fait L'objet d'un pillage économique, humain, financier ainsi que territorial de la part des allemands. Le régime de vichy mène de manière autonome la persécution des juifs."[2]

Cet extrait résume la vie en France sous l'Occupation puisque les parisiens ont vécu dans une atmosphère où la peur se généralisait à cause de la présence permanente des soldats allemands, des bombardements incessants et le couvre-feu. L'Occupation cause deux faces opposées de la

---

[1] MAURY(Pierre), Entretien, Magazine Littéraire **"Patrick Modiano, Travaux de déblaiement** ", septembre 1992, n°302, p.102.
[2] AMOUROUX (Henri), **La vie des français sous l'occupation**, Paris, Fayard, 1961, p.577

vie quotidienne. Les français en général vivent dans une vie misérable. D'autres cherchent à échapper. C'est pourquoi, il y a un grand nombre d'établissements de plaisirs. Quant aux cabarets, quelques jours après l'invasion des Allemands, ils ouvrent leurs portes et la vie nocturne des parisiens recommence avec joie.

A cette époque, les boîtes de nuits se partagent en deux grandes catégories l'une déploie les activités de 9 heures du soir à l'heure limite du couvre-feu. L'autre reste ouverte jusqu'au matin. Les fêtes et les rencontres de la société mondaine se passent aussi dans un milieu plus personnel. La pire situation est celle des juifs. Ils manquent de tout. Durant l'Occupation, ce peuple est destiné à un tragique destin. C'est l'atmosphère où les héros de Modiano sont trouvés.Modiano ne s'intéresse pas pendant son voyage de la quête identitaire dans ses romans à évoquer des faits réels de cette période de l'Occupation mais il met l'accent sur l'atmosphère de cette époque:

"Je n'ai pas voulu faire un tableau réaliste de l'occupation mais rendre sensible un certain climat moral de lâcheté et de désarroi. Rien à voir avec l'occupation réelle. Aucune vérité historique, mais une atmosphère, un rêve, un fantasme."[1]

Modiano n'est pas un historien mais il assume une responsabilité à l'égard du passé. Il préfère dessiner la vie des gens disparus en mélangeant cette vie entre la réalité et la fiction.

Denise et Pedro Stern les deux héros de *Rue des boutiques obscures* trouvent le salut par la Suisse. Les deux tentent de passer clandestinement la frontière en 1943 mais malheureusement la tentative se termine de façon tragique. Quand on contemple la phrase suivante:

---

[1]BUTAUD (Nadia) , Entretien, Les Nouvelles littéraires, 1972. Cité par : **Patrick Modiano**, Paris, Textuel, p. 15.

> *"C'est vraiment une drôle d'époque "*. [1]

Cette phrase évoque l'angoisse de ceux qui ont vécu dans la période de l'Occupation et ces temps difficiles dans un monde traumatisé. Quant au *Voyage de noces*:*"J'ai imaginé que de chez lui Rue deTilsitt, il avait transporté, boulevard Soult, les skis, les chaussures*

> *et la page de luxe qui datait de la drôle de guerre"*. [2]

Jean le héros tente de décrire l'influence de la guerre sur les rues. Aussi, dans son roman *Les Boulevards de ceinture* exprime Modiano la période de l'Occupation en disant:

> *"Nous vivons une **drôle** d'époque"*.[3]

Pour analyser toutes ces phrases dans les romans de Modiano. Nous pouvons dire que le mot **drôle** suggère ici tout ce qui était curieux, étrange, singulier, anormal, voire inhumain dans cette époque où tout à été bouleversé, les êtres et les valeurs.

Quand Paris tombe aux mains des Allemands le 14 juin 1940, une émigration forte débute à cause des menaces qui se multiplient. Guy le héros de *Rue des boutiques obscures* et ses amis doivent quitter Paris pour pouvoir se sauver et garder l'espoir de pouvoir mener ailleurs une vie normale et paisible. Comme nous l'avons déjà mentionné plus tôt, leur but est la Suisse, un pays qui, tout au long de l'Histoire, est resté neutre et indépendant. Lors de leur périple vers la Suisse, Guy et ses amis s'arrêtent à Vichy dans un hôtel rempli de réfugiés :

"Dans le hall, [...] des lits de camp où sont vautrés d'autres dormeurs, Certains en uniforme militaire. [...] Ils traversent le parc des Sources. Le

---

[1] MODIANO(Patrick),**Rue des boutiques obscures**, p.114
ID,**Voyage de noces** , p.122[2]
[3] ID, **Les Boulevard de ceinture**, paris, Gallimard, 1972, p.41

Long des pelouses, sous les galeries couvertes, obstruant les allées pavées, des groupes se tiennent, encore plus compact que dans le hall de l'hôtel."[1]

La figure du soldat déserteur apparaît également dans l'extrait précité. Même les soldats français sont obligés de s'enfuir sous peine d'être intégrés à la puissante armée allemande, la Wehrmacht. Oleg de Wrédé et Bob Besson (moniteur du ski à Megève) dans le même roman qui conduisent Pedro et Denise, les héros, à travers les montagnes de Megève sont très négatifs, après quelques pas seulement ils doivent se séparer : Besson part en éclaireur et demande à Pedro de l'attendre. Quelques minutes plus tard, Pedro, sans nouvelles comprend que le guide ne reviendra jamais. **Cette tentative de traverser la frontière de la suisse est le motif principal du roman. C'est la cause de l'amnésie du protagoniste, qui part alors à la quête de son identité et son passé.** Les évènements de la guerre forcent le héros à échapper en recherchant une vie paisible.

Dans *voyage de noces*, Modiano évoque la seconde guerre mondiale, ses fantômes et ses figures troubles. Après la découverte de la mort de la femme nommée Ingrid, le héros s'égare alors dans les souvenirs du passé. de retour à paris, il organise sa propre disparition, abandonnant son métier, son épouse, ses amis, pour repartir sur les traces d'Ingrid Thyrsen, une jeune danseuse, issue d'une famille juive et de son mari Rigaud, ces recherches le conduisent à l'époque de sa jeunesse. En un mot, l'histoire des années de l'Occupation occupe la conscience des générations juives d'après-guerre. **Il est nécessaire de comprendre le passé pour mieux comprendre le présent.** Dans le point suivant, nous allons exposer **Comment la déchirure familiale demeure un axe très important dans la crise identitaire chez Modiano?**

---

[1] MODIANO(Patrick),**Rue des boutiques obscures**, PP.198-199.

III- La déchirure familiale

Avant d'aborder la question de la déchirure familiale nous devons savoir Qu'est ce que la famille ? Selon le sociologue Michel Fize[1] dans son œuvre **La famille** :

" *La famille, élément fondamental de la société, est une réalité affective, éducative, culturelle, civique, économique Et sociale.* "[2]

La famille joue un rôle essentiel dans la formation de la personne. Elle est le remède miracle aux divers maux qui frappent la société : solitude, violence, perte de repères moraux, érosion des solidarités. Nous avons déjà mentionné l'importance de la société et la période de l'Occupation qui influencent d'une manière très évidente à construire la personnalité de Patrick Modiano, la famille aussi occupe une grande partie dans sa misère.

L'enfance de Modiano se déroule dans une atmosphère particulière : l'absence de son père et les tournées de sa mère. Il effectue sa scolarité de collège en pension. Cela le rapproche de son frère, Rudy, qui meurt de maladie à l'âge de dix ans. Cette mort annonce la fin de l'enfance de l'auteur qui gardera une nostalgie marquée de cette période. Un frère disparu jeune, une mère actrice en tournée la plupart du temps, un père absent, trois raisons suffisantes à créer une personne déchirée. La seule solution devant les narrateurs modianiens est l'errance au sein des ruines du passé et retracer des disparus, le rêve reconstitue leur identité perdue. La quête de l'identité n'est pas le seul motif pour Modiano **mais il cherche un sens à l'existence et son propre monde dans la cellule familiale.**

---

[1]Michel Fize, sociologue et Auteur d'une vingtaine d'ouvrages, consacrés notamment à l'adolescence et à la famille, il a été l'un des animateurs de la Consultation nationale des Jeunes.
[2]FIZE (Michel), **La famille**, Paris, Le Cavalier bleu, coll. Idées reçues, 2005, p.46

1- L'absence du père

Quant à l'image du père de Modiano, il est très important de prêter attention àla dédicace de *Rue des boutiques obscures* puisque c'est la première fois dans sa carrière que Modiano dédit un livre à son père. La figure du père dans le roman de Modiano est une représentation ou une incarnation de son père véritable. Ce père qui n'assume pas la responsabilité de ses fils, il s'intéresse seulement à échapper à cause de son origine juive et de ses faits illégitimes: *"Les pères typiques chez Modiano cherchent à se débarrasser des liens avec leur enfant. Ils négligent leurs rôles parentales, souvent sous forme d'éloignement, d'indifférence et d'abandon."*[1]

D'autre part, Modiano aborde la parenté dans la médiocrité et la fragilité. Il dessine son père avec une image stéréotype parfois plus ou moins développée en partageant le sentiment d'un être exclu souffrant de douleur, d'indifférence et de solitude.

En réalité, le père est la source de la sécurité dans la vie des enfants. Quand il est absent, l'enfant dévient fragile et faible. Cette absence cause un état d'**insuffisance paternelle** chez Modiano. Parfois, il présente le père qui ne s'intéresse pas à ses fils, parfois, il présente le père désiré et souhaitable qui protège ses enfants. Ce sont les deux modèles du père dans les œuvres modianiennes.

Le personnage **Hutte** dans *Rue des boutiques obscures* est le père désiré pour Modiano qui passe comme un père rassurant pour Guy Roland le héros. Hutte trouve Guy dans son état amnésique, confus, et ne trouve plus sa place dans le monde. C'est lui qui le nomme Guy Roland à partir de ce moment, et lui donne des papiers d'identité. Il lui sert de refuge et

---

[1]Umavijani (Thaniya**), l'homme à la recherche de ses racines dans les œuvres de Patrick Modiano,** Université Silpakprn, 2003, p.97

lui permet de récupérer des forces pour se lancer dans un long voyage (la Recherche de son identité). Physiquement, Hutte nous apparaît comme un vieil homme (fourbu). Il pèse plus de cent kilos et mesure un mètre quatre-vingt quinze, selon la description de son héros, Modiano tente de faire une évocation de son véritable père avec cette description physique :

"Cet homme avait beaucoup compté pour moi. Sans lui, sans son aide, je me demande ce que je serais devenu, voilà dix ans, quand j'avaisbrusquement été frappé d'amnésie et que je tâtonnais dans le brouillard. Il avait été ému par mon cas et grâce à ses nombreuses relations, m'avait même procuré un état civil."[1]

Jusque après le retour d'Hutte à son pays natal, il présente l'aide à Guy dans son voyage de la quête de son identité. **Hutte incarne le modèle positif et désiré de père pour Modiano.**

Waldo Blunt un autre personnage secondaire dans *Rue des boutiques obscures* apparaît au personnage Albert Modiano (le père véritable de notre écrivain). Blunt, comme le père de Patrick Modiano, s'est marié avec une fille beaucoup plus jeune que lui: *" Ma femme est beaucoup plus jeune que moi...Trente ans de différence (dit Waldo)...Il ne faut jamais épouser une femme beaucoup plus jeune que Soi...Jamais..(dit le narrateur)."[2]*

Modiano ne peut pas oublier la faute de son père, il tente de se convaincre qu'il s'agit d'une faute énorme commise par son père. Dans l'extrait précédent, Modiano montre son point du vue à travers son narrateur sur le fait que le mariage d'une femme plus jeune que l'homme

---

[1]MODIANO (Patrick), **" Rue des boutiques obscures"**, P.15.
[2]ID, Ibid, P.67

comme son vrai père a fait dans la réalité et il réfute cette faute. Alors, les personnages de Modiano sont une réflexion de l'image de son père. Modiano nous présente **Waldo Blunt comme un modèle négatif de son père.**

Modiano désire créer **une famille idyllique** de son imagination. Il décrit un vieux couple, Georges et sa femme, dont le narrateur fait la connaissance à Megève. Nous trouvons là l'exemple de la famille idyllique telle que se l'imagine Patrick Modiano:

"Nous bavardions très tard avec Georges et sa femme. [...] Sa femme et lui s'occuperaient de nous, en cas de pépin...Denise m'avait confié que « Georges » lui rappelait son père. *On allumait souvent un feu de bois.* Les heures passaient, douces et chaleureuses, et nous nous sentions en famille".[1]

Cette famille n'est qu'une image aimable d'une vie désirée par Modiano. Chaque phrase dans ce passage reflète l'état psychique du narrateur qui est la réflexion de Modiano. D'abord, dans la première phrase Modiano a besoin de contacter son père et sa mère, il ne trouve personne tout au long de son enfance, il est toujours silencieux. Dans la deuxième phrase, le mot *pépin* signifie le souci puisque ce couple représente le père et la mère qui s'intéressent aux besoins du narrateur et Denise. Dans la dernière phrase, le narrateur décrit l'atmosphère qui est plein d'amour et de chaleur.

 Dans *Voyage de noces,* Modiano expose le modèle négatif du père et évoque le problème de l'absence du père:*" En proie à l'instabilité, les pères modianesques incarnent l'image du juif errant, l'homme souffre du mal de vivre et finit par échapper à sa terre natale en espérant ailleurs une meilleure vie. En choisissant l'exil en France. Devenant une sorte de*

---

[1] MODIANO(Patrick), **" Rue des boutiques obscures"**, p.224.

*vagabond, il s'installe provisoirement dans une chambre d'hôtel, un petit appartement ou un appartement abandonné."[1]*L'héroïne Ingrid Thyrsen se trouve seule à cause du travail de son père. Ce père autrichien juif travaille clandestinement dans une clinique:*"Elle(Ingrid) lui(Rigaud) a expliqué que son père était un médecin autrichien émigré en France avant la guerre et qu'il travaillait dans une clinique d'Autil. Elle a ajouté qu'ils habitaient tous les deux dans cet hôtel de façon provisoire, car son père cherchait un nouvel appartement."[2]*

Toujours, le modèle du père modianien est dans un état d'évasion et de fuite. Il ne se fixe pas dans une place. Comme nous avons évoqué l'image du père dans le point précédent nous allons montrer le rôle de la mère dans la vie de Modiano.

2- La négligence de la mère

En ce qui concerne l'image de la mère chez Modiano, elle est presque absente aux yeux de son fils. sa place et son rôle est mineur:

"C'était (il évoque sa mère) une jolie fille au cœur sec. Son fiancé lui avait offert un chow-chow mais elle ne s'occupait pas de lui et le confiait à différentes personnes, comme elle le fera plus tard avec moi. Le chow-chow s'était suicidé en se jetant par la fenêtre.Ce chien figure sur deux ou trois photos et je dois avouer qu'il me touche
infiniment et que je me senstrèsproche de lui. "[3]

Dans ce passage, Modiano commence par la description de sa mère en montrant sa beauté mais en même temps il montre la brutalité et la dureté de son cœur résultantes de l'indifférence et de la négligence envers ses enfants. Il compare entre lui et ce chien nommé *Chow Chow*. La phrase

[1]Umavijani (Thaniya), OP, Cit, p.90
[2]MODIANO (Patrick), **" Voyage de noces "**, P.136
[3]ID, **Pedigree,** Paris, Gallimard, 2005, p. 18.

"elle ne s'occupait pas de lui et le confiait à différentes personnes, comme elle le fera plus tard avec moi" résume la misère où Modiano a vécu pendant son enfance. Cette mère dans ce passage ne s'intéresse pas à ce chien comme elle fait avec son fils Modiano.

A cause de la guerre, Luisa Colpeyn (la mère de Modiano) quitte la Belgique et a rencontrée le père de Modiano à Paris occupé:

> *"Sans cette époque, sans les rencontres hasardeuses*
> *et contradictoires qu'elle provoquait, je ne serais jamais né."[1]*

Modiano prouve l'absurdité de son existence dans cette vie de son point du vue. Le fils est placé chez des amis ou dans des pensionnats, tandis que la mère part d'improbables tournées de spectacles. Généralement, elle est très discrète et manque de force protectrice:

> *"Elle [ma mère] m'a fait subir, à cause de sa dureté."[2]*

Cet extrait résume les passions et les sentiments de Modiano envers sa mère puisqu'il ne sent jamais tout au long da sa vie sa tendresse et son affection pendant son enfance.

Gay Orlow un personnage féminin dans *Rue des boutiques obscures*, son métier est actrice comme la mère de Modiano et participe dans la vie nocturne des bars et des cabarets. De plus, elle avait beaucoup de relations et changeait 3 fois de maris (Waldo Blunt, puis Lucky Luciano, et enfin Freddie Howard de Luz). Son but est la recherche du mariage d'un américain pour obtenir la nationalité américaine, Waldo Blunt dit au narrateur:

"Elle m'a demandé de se marier avec moi, uniquement parce qu'elle voulait rester en Amérique, et ne pas avoir de difficultés avec les services

---

[1] MODIANO (Patrick), **Livret de famille**, paris, Gallimard, 1977, p.55
[2] ID, **Pedigree**, p.88.

de l'immigration... après, elle a fréquenté Lucky Luciano.... Après elle a

rencontré un français et j'ai su qu'elle était partie en France avec lui. "[1]

Alors, la problématique de l'existence domine la pensée de la plupart des

personnages modianiens. Elle est morte en 1950 en son domicile d'une

dose forte barbiturique:

"Elle était morte. Elle s'est suicidée.

-pourquoi?

- Elle me disait souvent qu'elle avait peur de vieillir..."[2]

C'est le même destin de la mère de Modiano.

Le deuxième modèle incarnant Luisa est Denise Coudreuse dans _Rue des_

boutiques obscures, Denise est née à paris mais d'origines Flamandes. La

similitude est claire avec l'origine flamande de Luisa (sa mère). En ce qui

concerne son métier, Denise est mannequin et a déjà travaillé avec

plusieurs photographes et même fait la une de certains magazines de

mode. Elle est donc une petite vedette, un peu comme Guy Orlow et

comme la mère de Modiano. Son destin est très proche du destin de Gay

Orlow dans la disparation pendant son voyage de la fuite en Suisse.

Hélène Pilgram, un autre personnage féminin dans le même roman, plus

âgée que les deux modèles précité : *"Une femme, les cheveux gris cendré*

et coupés court... .[...] On ne pouvait lui donner d'âge. Trente, cinquante

*ans ?"[3]*Cette image est différente des autres modèles précédents parce que

Modiano insiste à présenter la femme jeune mais il décrit cette femme à

un âge avancé. Quant au _Voyage de noces_, il y a une scène très

expressive, quand Rigaud suit le concierge qui expose le jardin de la villa

pour lui et Ingrid. Il se souvient de son enfance triste:

---

[1] MODIANO (Patrick),," **Ruedes boutiques obscures**", P.60-61

[2] ID, Ibid, p. 62

[3] ID, Ibid, p. 108.

" Cet endroit était lié à son enfance. Une enfance triste."[1]

Modiano commence à expliquer la cause de la tristesse de Rigaud envers cet endroit en indiquant que cet endroit ressemble au jardin où sa mère l'abandonne pour aller chez ses amis:

"Cette femme (Mme Paul Rigaud) si peu maternelle qui l'abandonnait des journées entières dans le jardin de la villa et, un soir, l'y avait même oublié? Plus tard, quand il crevait de faim et de froid dans un collège des Alpes, la seule chose qu'elle avait cru bon de lui envoyer, c'était une chemise de soie."[2]

Rigaud souffre de la négligence de sa mère tout au long de son enfance et il peut surmonter sa misère par l'oubli:

*"Rigaud tachait de surmonter son malaise en serrant le bras d'Ingrid. Elle n'était liée pour lui qu'à de mauvais souvenirs. Ainsi, il lui faudrait de nouveau rester des heures et des heures prisonnier de ce jardin..."[3]*Rigaud se sent prisonnier dans ce jardin qui évoque chez lui les souvenirs de sa mère. Il préfère sortir de cet endroit rapidement pour oublier de nouveau.

Nous ne pouvons pas oublier *Ingrid*, elle travaille comme un mannequin, c'est la même profession de Luisa la mère de Modiano dans un certain temps de sa vie. De plus, *Annette*, la femme Danoise du narrateur de *Voyage de noces*, non seulement elle est infidèle à son mari mais encore elle trompe son amant *Cavanough* avec un jeune homme *Ben Smidane* qui:

"Ma surprise qu'elle se soit enfermée dans

---

[1] MODIANO (Patrick),," **Voyage de noces** ", P.72

[2] ID, Ibid, P.71

[3] ID, Ibid, p.80

la chambre avec Ben Smidane. "[1]

Le point commun entre les personnages féminins dans les romans Modianiens (*Rue des boutiques obscures* et *voyage de noces*) est **le rêve d'acquérir une notoriété,** mais ils se trouvent aux mauvais endroits au mauvais moment puisque l'Occupation allemande casse malheureusement toutes ces ambitions.

A travers toutes ces images de la femme, nous avons en effet mentionné que l'enfant Modiano souffre de la négligence de sa mère à cause de ses tournages de films. La différence cruciale entre les images de la mère et celles du père se situe au niveau de leurs destins. Modiano ne présente jamais le modèle de sa mère comme une vieille femme désespérée qui a déjà perdu tout ce qui la rendait belle même si Hélène est aussi un modèle, mais sa vieillesse et sa dégradation physique ne sont pas décrites si négativement et si brutalement que chez les modèles paternels.

Pourtant, la plupart de ses héroïnes n'atteignent pas l'âge d'or pour des raisons diverses (suicide, disparition, etc.) Par contre, lorsqu'il met en scène des hommes, Modiano nous livre une cruelle réalité. Ils apparaissent déjà fatigués et même usés par le poids des années passées. Peut-être sont-ils aussi si réalistes parce qu'ils ne sont pas seulement les modèles d'Albert Modiano mais aussi ceux de Patrick. Ce dernier regarde toujours vers le passé et vit dans la peau de son père.

Quant au point de la tendresse de la mère, le grand penseur *Moustafa Mahmoud* a confirmé dans son programme très connu *"Al-ïlm Wa al-ïman",* ou *"la Science et la foi"* que le manque de la tendresse maternelle n'a pas seulement d'influence psychique mais aussi organique. Ce que nous remarquons chez Modiano surtout quand il effectue une

---

[1] MODIANO (Patrick), " **Voyage de noces** ", p.98

interview, il souffre d'un problème ou d'une lacune d'élocution, c'est pourquoi, il préfère être loin des médias.

En bref, L'infidélité, l'errance, la trahison et la marginalité sont les caractéristiques qui distinguent la figure de la mère chez Modiano. Les femmes dans les deux romans sont marginales. Elles sont toujours dans l'espoir de devenir un jour chanteuses ou actrices. Comme le père et la mère jouent un rôle important dans la vie de Modiano aussi son frère avait un rôle très évident. Dans le point suivant, nous mettons l'accent sur le frère de Modiano et son rôle.

3- La mort du frère

La mort de Rudy, son petit frère, est pour Modiano un vrai choc. Les deux frères affrontent l'absence fréquente de leurs parents. Plusieurs romans lui sont dédiés. Ce lien fort avec **son petit frère est aussi évoqué dans la dédicace du roman et dans de nombreuses Scènes consacrées à la présentation du (milieu enfantin) :**

" *Le choc de sa mort a été déterminant. Ma recherche perpétuelle de quelque chose de perdu, la quête d'un passé brouillé qu'on ne peut élucider, l'enfance brusquement cassée, tout cela participe d'une même névrose qui est devenue mon état d'esprit.* "[1]

Les scènes d'un enfant sont nombreuses dans *Rue des boutiques obscures* et *Voyage de noces*. Nous pouvons énumérer de nombreux exemples comme celui de la petite Gay Orlow devant son ancienne maison:

---

[1] ASSOULINE(Pierre), Reportage, **"Modiano, lieux de mémoire"**,*Lire*, mai1990 [, n° 176, pp. 34-46.

"C'est la photo d'une fillette en robe blanche, avec de longs cheveux blonds, et elle avait été prise dans une station balnéaire puis qu'on voyait des cabines, un morceau de plage et de mer."[1]

Modiano évoque une image très expressive quand Denise vient avec une petite fillette :

"Elle(Denise) est revenue avec une fillette d'une dizaine d'années dont les cheveux étaient blonds et qui portait une jupe grise. Nous sommes montés tous les trois dans la voiture, la fillette a l'arrière et moi à coté de Denise qui conduisait."[2]

Durablement, Modiano tente de dessiner une image de **la famille idyllique** formée d'un père (Guy Roland), d'une mère (Denise coudreuse), d'un enfant (la fillette). Il inspire une vie désirée ou aimable dans un monde imaginaire à travers ses personnages. Le fils de l'ancien trafiquant (scène de l'hôtel où Pedro vend les bijoux pour gagner de l'argent et s'enfuir) [3] ou encore les enfants qui jouent au ballon[4].

Après cette étude analytique du milieu où Modiano vit, il ressort de cela qu'il vit dans une atmosphère troublée ; **un père absent, une mère occupée et un frère perdu, tout cela pousse Modiano à adopter l'idée de la quête de son identité perdue.** Paul Gelling résume la misère de la vie familiale de Modiano en disant:

"Résumons : le frère disparu, la mère insaisissable, et, au centre de tout, le père absent ou agressif – ne s'agit-il pas en dernier lieu de l'auteur même ? Ce qui persiste pourtant au-delà de toute autobiographie, c'est toujours sa présence essentiellement composée de mots, sur le papier,

---

[1] MODIANO (Patrick), " **Rue des boutiques obscures**", p. 45.
[2] ID, Ibid, PP.151-152.
[3] ID, Ibid, p. 170.
[4] ID, Ibid, pp. 242-243.

cette voix qui chante encore et encore les paradoxes d'une évanescente pesante." [1]

Durablement, il tente de rechercher une famille idéale mais malheureusement il ne la trouve jamais dans sa vie. Pour son père, il y a un mur fait d'incompréhension, de désaccord et de gêne entre Modiano et lui. Quant à la mère, elle est condamnée à rester en silence. La vie familiale pour les narrateurs modianiens ne dépend que de l'instabilité et de la souffrance. Dans le point suivant, nous allons aborder les caractéristiques psychologiques de l'enquêteur de son identité.

IV-Les caractéristiques psychologiques du personnage chez Modiano

Dans ce point, nous proposons quelques symptômes qui atteignent le quêteur de son identité comme l'errance, la marginalité et la fuite.

1-L'errance[2] de l'enquêteur

Le thème de l'errance est présent dans tous les arts (cinéma, peinture, littérature). En littérature, l'errance est une notion de voyage, de déplacement physique, de cheminement intellectuel dans le travail littéraire. L'errance devient quête de lieu, de recherche de vérité, de rejet de la société. Elle permet d'échapper au souvenir nostalgique du passé. L'errance est principalement associée au mouvement, à la marche, à l'idée d'égarement, à l'absence de but. Être errant, c'est un être, à un moment donné, sans attache particulière, allant d'un lieu à un autre, en apparence sans véritable but :

"L'errance, terme à la fois explicite et vague, est d'ordinaire associée au mouvement, et singulièrement à la marche, à l'idée d'égarement, à la

---

[1] GELLINGS (Paul) , Op, Cit, p. 201
[2] À l'origine, le verbe « errer » signifie tout simplement aller, à l'image du chevalier errant. Cette connotation du verbe est toujours valable de nos jours.

perte de soi-même. Pourtant, le problème de l'errance n'est rien d'autre que celui du lieu acceptable. [...] L'errance est certainement l'histoire d'une totalité recherchée. "[1]

Dans l'état de notre écrivain Patrick Modiano, nous pouvons diviser l'errance en deux aspects: **l'errance physique** et **l'errance onirique**.

1-2-L'errance physique: le mouvement des personnages

"L'errance renvoie à un espace ouvert où s'effectue la déambulation sans but précis de l'errant."[2]

L'acte de marcher permet au protagoniste d'oublier ou de se débarrasser des pensées et des sentiments négatifs qui l'envahissent, tels que l'angoisse ou la colère, comme l'explique Désiré Kan[3] :

"Le surinvestissement de l'espace extérieur fonctionne comme l'extériorisation d'une lutte pour le réaménagement de l'espace psychique. Il permet d'évacuer la tension interne en la transformant en énergie motrice. La déambulation permet ainsi d'échapper à la tyrannie de l'idée fixe."[4] L'errance physique chez les personnages modianiens dépend des deux axes très importants: **la fuite** et **la quête**.

1-2-1-La fuite

La fuite est une des raisons les plus importantes de l'errance chez les personnages modianiens. Le modèle exemplaire de cet état est Jean le narrateur de *Voyage de noces*:

"Et tous ces voyages lointains que j'avais entrepris non pour satisfaire une curiosité ou une vocation d'explorateur, mais pour fuir. Ma vie

---

[1]DEPARDON, Raymond, **Errance**, Paris, éditions du Seuil, 2003, p.12.
[2]KANE, Momar Désiré, **Marginalité et errance dans la littérature et le cinéma africain francophone,** Paris, L'Harmattan, 2004, p. 40.
[3]Momar Désiré Kane est Né au Burkina Faso, Momar a grandi entre Dakar et st louis du Sénégal. Il arrive à Toulouse en 1991. Licencie de philosophie et docteur es lettres, il a conclu son parcours universitaire par une thèse publiée al'harmattan sous le titre : "marginalité et errance dans la littérature et le cinéma africains francophones". Il enseigne à l'université toulouse2 - le Mirail en littérature comparée.
[4]KANE, Momar Désiré, Op, Cit, p.43

n'avait été qu'une fuite."[1] Son travail comme un explorateur en faisant des films documentaires est un résultat du désir fort de fuir. Il décide d'oublier ses soucis à travers ces voyages.

Autre exemple de l'errance en employant la fuite, Ingrid Thyrsen l'héroïne de *Voyage de noces*, tout au long du roman elle ne sait pas ce qu'elle veut dans sa vie; D'abord elle quitte son père, ensuite elle se marie avec Rigaud. Puis elle quitte Rigaud en arrivant en Amérique après cela elle retourne à Rigaud. Enfin, elle quitte Rigaud et se suicide à Milan. L'origine juive est la cause principale de l'errance chez Ingrid Thyrsen :*"La figure du juif...est condamné à marcher pour l'éternité."[2]*

Par conséquent, l'errance est un résultat logique de son état difficile puisqu'elle se trouve seule dans une société refusant son existence. Elle trouve dans la fuite une solution provisoire.

Pendant les voyages nombreux de Jean, le narrateur de *Voyage de noces*, raconte qu'il revoit Ingrid autrefois dans un état d'errance:
"Quelqu'un marche à une dizaine de mètres devant moi. J'ai fini par la rattraper.... Elle (Ingrid) ne m'a pas prêté la moindre attention. Elle continuait de marcher, le regard absent, la démarche incertaine et je me suis demandé si elle savait vraiment où elle allait. Elle s'était sans doute égarée dans ce quartier."[3] Ingrid se trouve victime de son origine juive autrichienne réfutée et persécutée de la société. Quant à Jean, il se trouve victime de la monotonie et les soucis de la vie. Les deux décident de fuir la société en laissant derrière eux toute leur vie et **la fuite devient la seule solution devant eux.**

---

[1] MODIANO(Patrick), **Voyage de noces**, p.95
[2] GELLINGS, Paul, Op, Cit, p.135
[3] MODIANO(Patrick), **Voyage de noces**, p.112-113

1-2-2-La quête

La recherche de quelque chose ou de quelqu'un est aussi une raison effective dans l'activité de l'errance :

"L'errance serait une quête issue des origines qui au lieu de s'effectuer dans le temps psychique s'accomplit dans l'espace, inconsciemment certains adolescents justifient leurs errances par la quête d'un parent inconnu, perdu, disparu depuis longtemps qu'ils cherchent dans la rue ou dans les gares, dans les campagnes voire hors des frontières."[1]

La quête de l'identité et de l'origine sont le but essentiel dans la plupart de romans de Patrick Modiano. Guy Roland est le modèle exemplaire de la quête à la recherche de son identité. Nous avons déjà exposé le voyage de Guy Roland dans la quête de son identité.

1-3-L'errance onirique: pérégrination de l'âme

Quand les personnages sont prisonniers, enfermés dans une société qui les étouffe, dans l'incapacité de se déplacer et privés de leur liberté, ils partent et quittent les lieux à travers les rêves ou ce que nous pouvons définir comme une errance psychique ou mentale. **Bachelard remarque:**

"Dès que nous sommes immobiles nous sommes ailleurs ; nous rêvons dans un monde immense. L'immensité est le mouvement de l'homme immobile. L'immensité est un des caractères dynamiques de la rêverie tranquille."[2]

Le rêve de Jean le narrateur de *Voyage de noces* est très significatif. Jean refuse sa vie et souhaite une meilleure vie, c'est pourquoi, il quitte sa

---

[1]GUTTON, Philippe **« Errance en adolescence »**, in *Sur le chemin. Voyage thérapeutique, voyage pathologique*, actes de la XIXème journée de psychiatrie de Fontevraud, samedi 5 juin 2004, site « psychiatrie angevine ».

[2]BACHELARD (Gaston), **La Poétique de l'espace**, PUF, 1998, p. 169.

femme; son métier et ses amis en errant dans les rues de Paris. Dans son rêve, il tente de créer une vie aimable et désirée :

"Je suis rentré à l'hôtel. J'espérais y trouver un message d'Annette. (....) J'ai fini par m'endormir et j'ai rêvé pour de bon : une nuit d'été, très chaude. J'étais à bord d'une voiture décapotable. (....) Nous traversions une prairie vallonnée à l'intérieur de la villa. La nuit, de nouveau. (....)nous arrivions enfin sur un boulevard périphérique qui descendait en pente douée et où je remarquais des palmiers et des pins parasols ..... "[1]

Jean perd le bonheur dans sa vie, par conséquent, il le cherche dans ses rêves. Dans ce rêve, Jean montre quelques références sinistres à paris de l'Occupation: La gare d'Austerlitz, des entrepôts, un stade, une voie ferrée. Le rêve se termine sur une belle forme de nostalgie: *"ça faisait si longtemps que nous n'étions pas revenus dans les parages..."*

Alors, le narrateur inspire des images idylliques dans son rêve en formant un paradis désiré. L'errance onirique devient la seule solution devant le narrateur en posant son âme **entre deux mondes, le monde de la réalité difficile et le monde imaginaire de son rêve.**

3- La marginalité

La marginalité est au centre des maladies qui atteignent l'enquêteur de soi, dans ce point, nous allons exposer la définition de la marginalité, ses types, ses critères. D'après le petit Robert, la personne marginale est : *"une personne vivante en marge de la société parce qu'elle en refuse les normes ou n'y est pas adaptée."*[2] Il y a deux types de marginalité, la marginalité volontaire dans laquelle on voit une marginalité choisie de la personne qui refuse son intégration à la société. L'autre type, c'est la

---

[1] MODIANO(Patrick), **Voyage de noces**, pp.98-99
[2] ROBERT (Paul), **Le Petit Robert : Dictionnaire de La Langue Française, Dictionnaire le Robert,** Paris, Juin 1996, p. 2394.

marginalité involontaire dans laquelle la personne souffre de la difficulté d'adaptation avec la société, elle se trouve un être exclu et marginal:

"La définition de la marginalité implique deux types de marginalités : une marginalité choisie où la personne « refuse », de son propre gré, de se conformer à la société et à la normalité, et une marginalité imposée ou subie, qui est due à une non adaptation de la personne à son environnement ; le binôme **marginalité volontaire-marginalité involontaire"**.[1]

Dans les deux types, on voit une personne qui vit en dehors du centre, dehors du groupe, ville et famille. Mais il faut noter qu'il y ait une différence entre le marginal et la personne exclue. Dans la marginalité, la personne n'est pas forcée à l'exclusion mais elle est acceptée à un certain point dans son milieu au contraire de l'état de la personne exclue puisqu'elle est rejetée de la société:

" Bienque hors de la norme, le marginal esttoléré, à l'opposé de l'exclu qui estrejeté, banni, hors-la-loi » mais, continue-t-elle, « la frontière entre marginalité et exclusion est fragile : le marginal est toujours menacé d'exclusion. Parcequ'il est différent, le marginal peut paraître subversif."[2]

3-2-Les critères de la marginalité

Malgré la relativité de la notion de la marginalité, il y a certains critères déterminants de la question de la marginalité. Dans notre étude, nous mettons l'accent sur le critère social et le critère identitaire.

---

[1]VANT, André, **Marginalité sociale, marginalité spatiale**, Lyon, CNRS, 1986. p. 15.
[2]BOULOUMINE, Arlette, **« Avant-propos », in Figures du marginal dans la littérature française et francophone,** textes réunis par Arlette Bouloumié, Recherches sur l'Imaginaire, N° 29 Mars 2003, p. 11.

3-2-1- La marginalité sociale

Premièrement, le terme "société" ou "groupe" signifie un ensemble de personnes ayant des caractères en commun. L'homme devient marginal par rapport à cette société ou par rapport à ce groupe quand il devient différent et hétérogène. On trouve une différence physique, vestimentaire, culturelle, religieuse, ethnique, idéologique ou identitaire. Selon André Vant:

"La marginalité est chargée de sens social et s'inscrit dans le binôme normalité-déviance."[1]

On trouve cette déviance dans beaucoup de domaines tel que dans le domaine physique(les handicapés, aveugles, boiteux, bossus, gauchers), le domaine sexuel (des prostituées, des homosexuels), le domaine intellectuel(les créateurs, poètes maudits):

"D'ordre physique d'abord : les handicapés, aveugles, boiteux, bossus, gauchers, débiles mentaux ont été marginalisés voire exclus selon les siècles ; d'ordre ethnique : c'est le cas des noirs, des juifs ou des tziganes dans certains pays ou à certaines périodes."[2]

Ingrid Thyrsen, la juive autrichienne dans <u>Voyage de noces</u> et son père sont le modèle exemplaire de la marginalité involontaire selon le critère racial. Elle se trouve obligée de vivre en marge de la société qui la refuse à cause de son origine:

"Le docteur avait recommandé son père aux autres personnes de la clinique d'Auteuil, mais celles-ci n'avaient pas la générosité ni le courage du docteur Jougan: elles avaient peur qu'on ne découvrit qu'un Autrichien, qui était recensé comme juif, travaillait clandestinement dans leur clinique."[3]

---

[1] VANT, André, op. cit., p. 15.
[2] BOULOUMINE, Arlette, op. cit., p. 12.
[3] MODIANO, (Patrick), **" Voyage de noces "**, P.126

Ingrid et son père docteur Thyrsen souffrent de la difficulté de l'acceptation de la société à leur origine. C'est pourquoi, les deux vivent dans la société comme des marginaux, échappant de la réalité de son origine.

3-2-2- La marginalité identitaire

Bien que la marginalité sociale soit visible et évidente comme dans la situation d'Ingrid Thyrsen et son origine juive, la marginalité identitaire reste non visible parce qu'elle s'intéresse à l'intérieur de la personne. Dans la marginalité identitaire le personnage se sent différent des autres et se trouve dans l'impossibilité de s'identifier.

Il est très évident que la marginalité identitaire est liée au problème de l'identité et de l'affirmation de soi. **Le nom** vient dans la première étape dans les étapes de l'identification:

"Être nommé signifie avoir une identité, signifie s'inscrire dans la loi, signifie encore s'inscrire dans l'Histoire, la succession du temps et des générations. En réponse à son nom, on accepte sa filiation. À l'inverse, l'absence d'un nom, le refus du nom, le changement de nom, arrêtent l'Histoire et nient l'origine."[1]

Guy Roland dans *Rue des boutiques obscures* se considère comme le modèle de cet état de marginalité parce qu'il perd tous les critères de l'identité : nom, parenté, l'origine, lieu de la naissance à cause de son amnésie. Guy Roland souffre de la privation et du manque: être sans origine, sans famille, sans domicile fixe, sans papiers. L'absence du nom propre qui permet l'identification et la reconnaissance de soi en tant

---

[1] CAMET, Sylvie, **Les Métamorphoses du moi. Identités plurielles dans le récit littéraire XIXe** – XXe siècles, Paris, L'Harmattan, 2007, p. 37.

qu'entité, à part entière, fait perdre au personnage son unicité. D'autre part, il a l'impression de ne pas exister aux yeux des autres: " *Je ne l'avais pas vu s'approcher de moi. J'avais même pensé que personne ne viendrait me demander ce que je voulais, tant ma présence à une table du fond passait inaperçue.* "[1]

En mal d'identité, Guy Roland souffre d'un sentiment de non appartenance au milieu où il vit, il se sent différent et étranger deux termes qui reviennent souvent dans son discours:" *Je ne suis rien. rien qu'une silhouette claire.* " En un mot, la marginalité par ses deux types visible ou la marginalité sociale et invisible ou la marginalité identitaire est très évident chez des personnages modianiens.

V-La communication non verbale chez les personnages Modianiens.

C'est le fait d'envoyer et de recevoir des messages sans passer par la parole mais au moyen des expressions du visage, des postures, des gestes, de bruits divers. Les choix vestimentaires, la coiffure, la position du corps, le maquillage, les mimiques sont tous des éléments de communication non verbale. Yves Winkin dans son livre *La Nouvelle Communication*, confirme que*:*

" *La communication est définie et étudiée comme un processus social permanent intégrant de multiples modes de comportement : la parole, le geste, le regard, la mimique, l'espace interindividuel, etc* "[2]

La communication non verbale est plus fiable que la communication verbale puisqu'elle complète le message verbal à travers le silence, le geste, la posture et le vêtement :

"Les romanciers, pour faire vivre leurs personnages, ont recours à des truchements divers: (....); l'analyse psychologique; l'indication d'un geste

---

[1] MODIANO(Patrick), **Rue des boutiques obscures,** p.127
[2] WINKIN, Yves, **La nouvelle communication**, paris, Seuil, 1981, p.24.

ou d'un comportement et toutes les notations du behaviourisme... "[1]Dans cet axe du chapitre, nous tentons de dévoiler **l'importance de la communication non verbale en montrant la crise identitaire chez les personnages modianiens.** Nous allons aborder les expressions faciales comme le froncement des sourcils et le ton de la voix comme le murmure et le chuchotement. De plus, le langage des objets comme les accessoires.

1-Le silence

Le silence est l'attitude de quelqu'un qui reste sans parler. En même temps, il est considéré comme un des moyens de communication non verbale. Parfois, ce silence reflète un temps de la pensée, parfois, le chagrin, la douleur, la surprise ou la volonté de s'isoler : *"En décrivant le silence, les romanciers convoquent inévitablement tout ce que cette notion englobe. Dans un premier temps, le silence se définit par la négative : absence de bruit, de son, quelque chose de vide..... D'un autre côté, le silence, c'est aussi un prolongement de la parole, une source d'inspiration et un moment d'écoute. Le silence, ce n'est donc pas le contraire du langage mais un langage intérieur, solitaire personnel."[2]*

Le silence peut avoir beaucoup de sens et de significations. Chez Modiano, le silence joue un rôle prépondérant à transmettre le message non verbal de ses personnages. Dans *Rue des boutiques obscures*, Hutte recourt au silence pendant sa parole dans la dernière rencontre entre lui et Guy Roland le narrateur en disant: *"Mais voyez-vous, Guy, je me demande si cela en vaut vraiment la peine...Il a gardé le silence. À quoi rêvait-il ? À son passé à lui ?"[3]*

---

[1] RAIMOND, Michel, **Le Roman**, 2è édition, Paris, Armand Colin, 2000, p.171
[2] HANUS (Françoise) et NAZAROVA (Nina), **Le Silence en littérature**, paris, L'Harmattan, 2013, p.7-8
[3] MODIANO(Patrick), **Rue des boutiques obscures**, p.15

Dans ce passage, Hutte sent l'inquiétude et la peur envers la tentative de Guy à retrouver son passé et le silence devient la seule solution devant lui.

Quant aux points de suspension, Guy barrier dans son livre _La Communication non verbale_, Indique que : _"le locuteur utilise des pauses pour formuler sa pensée."_[1]

nous trouvons les points de suspension dans une scène complète entre Guy le héros de même roman et Stioppa de Djagoriew lors le narrateur tente d'obtenir quelques informations sur son passé :

"Je... je voulais vous voir depuis... longtemps...", "J'écris... j'écris un livre sur l'Émigration... Je...", "C'est... C'est... quelqu'un qui m'a conseillé d'aller vous voir... Paul Sonachitzé...", "Je... ne... je..." "Je pourrais... vous... poser... quelques questions ?"[2]

Tous ces points de suspension dans la parole du narrateur évoquent un état de perte de confiance en lui-même puisqu'il n'avait pas d'informations autour de son passé à cause de sa maladie. De plus, il souffre de la peur, de la surprise de la parole de son témoin Stioppa. Parfois, le personnage recourt au silence quand il n'a rien d'important à dire. Hélène Pilgram préfère être silencieuse au lieu de donner de fausses informations au narrateur :

"J'entendais son souffle, un souffle presque imperceptible, mais la pièce était à ce point silencieuse que le moindre bruit, le moindre chuchotement se serait détaché avec une netteté inquiétante. A quoi bon la réveiller ? elle ne pouvait pas m'apprendre grand-chose."[3]

---

[1]BARRIER, Guy, **La Communication non verbale. (Comprendre les gestes et leur signification)**. ESF éditeur, 2014, p.32
[2]MODIANO(Patrick), **Rue des boutiques obscures,** PP.13-14
[3] ID, Ibid, p.123

En bref, le silence est un moyen très expressif chez les personnages modianiens pour évoquer des significations différentes comme l'inquiétude, la peur et la perte de confiance en soi.

2-Les expressions faciales: le froncement des sourcils

En réalité, les expressions de visage sont un autre moyen qui sert le message non verbal puisque ces expressions évoquent des émotions nombreuses comme la joie, la surprise, la tristesse et la peur. Jacques Cosnier confirme dans son livre *Les Gestes du dialogue* , l'importance des expressions faciales en disant :

"Les mimiques faciales en particulier sont considérées depuis Darwin (1872) comme les supports expressifs privilégiés des diverses émotions, elles indiqueraient la "qualité" de l'émotion, tandis que les autres indices corporels, gestes, postures révèleraient plutôt l'intensité émotionnelle, ou les affects toniques (aspect figé du déprimé, expressif de l'excité, sthénique du paranoïaque ...).".[1]

Le froncement des sourcils est un geste répété surtout chez les personnages féminins modianiens. Ce geste évoque beaucoup de sens comme l'exclamation, la surprise et l'étonnement mais pour Modiano, ce geste traduit **la constante inquiétude et les soucis** de ses personnages.

Ingrid, l'héroïne de *Voyage de noces* fait ce geste en essayant de se souvenir les circonstances de sa rencontre lointaine avec le narrateur:

"Elle [Ingrid] fronçait les sourcils et
me considérait de ses yeux gris."[2]

---

[1]COSNIER, Jacques, « **Les Gestes du dialogue** » in *La Communication* – *État des savoirs,* Paris, Éditions Sciences Humaines, 1998, P.5
[2]MODIANO(Patrick), **Voyage de noces**, p.113

Hélène Pilgram, un personnage secondaire dans *Rue des boutiques obscures* est très inquiète après la question du narrateur sur son ancien numéro du téléphone:

"-Madame… c'est pour un renseignement…
elle me fixait de ses yeux très clairs. On ne pouvait lui donner d'âge.
trente, cinquante ans?
-votre ancien numéro n'était pas ANJou15-28?
elle a froncé les sourcils."[1]

Comme les expressions faciales distinguent les personnages modianiens, le ton de la voix joue un autre rôle important.

3-Le ton de la voix: le murmure et le chuchotement

Le ton de la voix donne une impression chez ce lui qui écoute. A travers le ton de la voix, on peut déterminer si cette personne est pressée, confiante, intéressée, hésitante, excitée ou enthousiaste, etc.…

Le chuchotement et le murmure sont des traits distinguant la manière de parler chez les personnages modianiens. Le style d'écriture de Modiano dépend du style minimaliste c'est-à-dire il utilise des mots très brefs et courts mais ils sont très expressifs. La parole pleine de chuchotement, de murmure et de silence aide à la création d'une sorte d'**ambiguïté** voire elle ajoute encore plus **d'inquiétude** à cette atmosphère très sombre.

Dans *Rue des boutiques obscures*, nous pouvons observer la voix de Wildmer, un personnage secondaire, quand il raconte son passé à Guy. Il utilise le chuchotement et des phrases murmurées à voix basse:

"La voix même de Wildmer,
Raqué et presque inaudible"[1]

---

[1]MODIANO(Patrick), **Rue des boutiques obscures,** p.108

Soudainement, quand il finit sa parole avec Guy il retourne à sa voix ordinaire. Alors, pour Wildmer **le passé est un secret et une chose ambigüe.** Autre scène confirme l'idée du retour au passé qui évoque un état mystérieux, l'hésitation de Mansoure le photographe, quand il avoue son secret à Guy Roland :

"Merci…vous savez…c' est très drôle…

Il hésite, au bord de la confidence.

-j 'ai…j'ai le vertige chaque fois que je traverse le bout de la rue Germain-pilon…j'ai…j'ai envie de descendre…c'est plus fort que moi"[2]

Son secret cache un détail obscur sur le passé. Nous observons que ses phrases sont toujours coupées par des points de suspension. La manière de la parole évoque aussi un état ambigu par exemple quand Guy décrit la parole de Waldo Blunt :

"Il me parlait, je le voyais aux mouvements

de ses lèvres"[3]

Le narrateur ne peut pas écouter la voix de Waldo Blunt, cela reflète l'ambiguïté et la confusion qui distinguent ces personnages. De plus, le passé devient un mystère et le narrateur tente de découvrir ce mystère.

4-Les couleurs

La vue est un des sens les plus importants chez l'homme. Le monde des couleurs aide la personne à expliquer beaucoup des choses par exemple quand on dit *il a des yeux rouges*, l'adjectif qualificatif *rouge* peut exprimer la fatigue, le chagrin ou la maladie de la personne. Bachelard

---

[1] MODIANO(Patrick), **Rue des boutiques obscures**, *p.208*
[2] ID, Ibid, P.139
[3] ID, Ibid, P.*61*

confirme l'importance du sens de la vue en disant : "*La vue dit trop de chose à la fois.*"[1]

Au passé, les écrivains ne s'intéressent pas à créer un monde coloré dans leur écriture, mais aujourd'hui, la couleur aide le lecteur à lire des significations selon son imagination. Modiano préfère, dans ses romans, deux couleurs principales le blanc et le noir. **Les deux représentent le contraste entre le passé et le présent chez le narrateur.** Malgré la misère de la guerre et la difficulté de vivre dans pays occupé, le narrateur emploie le blanc pour exprimer son passé et ses souvenirs mais les couleurs sombres sans éclat reflètent le présent difficile qui entoure le personnage. Dans *Rue des boutiques obscures*, le narrateur commence à se rappeler son passé en disant: "*Nous marchions d'un pas nonchalant, tous les sept, le jockey,*

Denise, moi, Gay Orlow et Freddie, Rubirosa et le vieux Giorgiadzé. Nous portions des costumes blancs. Giorgiadzé habitait l'immeuble, au coin du jardin Alsace-Lorraine. Des palmiers qui montent haut dans le ciel. Et des enfants qui glissent sur un toboggan. La façade blanche de l'immeuble avec ses stores de toile orange. Nos rires dans l'escalier."[2]

Ce passage est très expressif parce que le narrateur décrit sa vie calme et heureuse au passé avec ses amis malgré la ruine de la guerre, d'abord il décrit leur vêtement *(des costumes blancs)*, ensuite il évoque la beauté de la nature dans la phrase, *des palmiers qui montent haut dans le ciel*, en fin, le reste du passage évoque la joie et le bonheur au passé (*Nos rires dans l'escalier*).

En revanche, en employant le présent, le narrateur recourt dans sa description aux couleurs sombres et sans éclat:

---

[1]BACHELARD, Gaston, Op, Cit, p. 194.
[2]MODIANO (Patrick), **" Rue des boutiques obscures"**, P.190

" *La rue était déserte et plus <u>sombre</u> que lorsque j'étais entré dans L'immeuble (....) Il semblait que les fenêtres de tous ces immeubles <u>absorbassent l'obscurité</u> qui tombait peu à peu. Elles étaient <u>noires</u> ces fenêtres et on voyait bien que personne n'habitait par ici.*"[1]

Nous avons observé l'atmosphère sombre et obscure qui entoure le narrateur pendant son voyage à retrouver son passé. En bref, nous pouvons résumer qu'il y a deux mondes principaux colorés chez Modiano, d'abord, **le passé et ce monde est coloré par le blanc** malgré la misère de la guerre et la souffrance des personnages dans un pays occupé. **le présent est coloré par le noir** et des couleurs sombres. **Les personnages modianiens préfèrent la vie dans la misère de la guerre avec leur identité plutôt que la vie sans identité.**

5-Le langage d'objet

L'apparence correspond à l'allure générale d'une personne. C'est ce que l'on voit en premier lieu : **le vêtement, la coiffure, le maquillage, les accessoires.** C'est un élément majeur des premières impressions que l'on a d'une personne. **Les vêtements :** Le choix des vêtements et des accessoires est fait généralement en fonction de l'âge, du physique, de la situation professionnelle, des goûts personnels, du milieu social etc.

Les objets que nous portons (bijoux, sac, parfums et eaux de toilette, chaussures, chapeau, casquettes, lunettes de soleil) parlent de nous, de nos valeurs, de nos priorités, de notre histoire (bijoux de famille), de notre culture etc. Ils renvoient aux significations que nous leur attribuons.

5-1-les accessoires

Les lunettes de soleil et **les chapeaux** évoquent une certaine signification Chez Modiano. Ces accessoires sont comme un rideau qui sépare le

---

[1] MODIANO (Patrick), **" Rue des boutiques obscures"**, P.122

personnage du monde extérieur pour montrer **l'état d'exclusion de la société , la tentative de cachette et la fuite de ces personnages.**

Pour cacher le fond de ses pensées, Ingrid l'héroïne de *Voyage de noces*, porte souvent des lunettes de soleil tout le temps :

" Nous habitions une petite maison près de la plage de Pampelonne, m'a-telle dit. (...) Moi, ce qui me plaisait c'était le nom : Les Issambres... Vous ne trouvez pas que c'est un joli nom ? Et <u>elle me regardait derrière ses lunettes de soleil.</u>"[1]

Lorsque le narrateur prend le train pour partir, Ingrid n'a plus rien à dissimuler :

"Au moment où le train s'est ébranlé, elle a ôté ses lunettes de soleil et j'ai retrouvé ses yeux bleu pâle ou gris."[2]

Quant aux chapeaux, Ingrid les porte comme un moyen de se cacher du monde :

"Ingrid s'est assise au bord du ponton, les jambes dans le vide. <u>Elle avait mis le grand chapeau qui lui cachait le visage.</u>"[3]

Alors, Modiano exploite les accessoires comme un moyen d'exprimer la cachette et la fuite du monde. Ses personnages souffrent d'un **état d'exclusion de leur société.**

5-2-La photo

Modiano s'appuie dans sa quête sur des éléments objectifs comme la photo :

"Les progrès de l'enquête sont dits par des configurations spatiales : chaque témoin a son lieu, qui le détermine ; l'enquêteur qui y pénètre y trouve une parcelle de savoir, matérialisée par un objet, photo, boîte,

---

[1] MODIANO(Patrick), **Voyage de noces,** p.30
[2] ID, **" Rue des boutiques obscures",** P.45
[3] ID, **Voyage de noces,** p.75

revue ; apories et impasses sont signifiées par l'inaccessibilité des lieux ou leur éloignement."[1]

Modiano s'intéresse à l'existence des témoignages qui aident le héros pendant son voyage de la quête :

" (...) ces Bottins et ces annuaires constituaient la plus précieuse et la plus émouvante bibliothèque qu'on pût avoir, car sur leurs pages étaient répertoriés bien des êtres, des choses, des mondes disparus, et dont eux seuls portaient témoignage."[2]

Hutte l'ami du narrateur dans *Rue des boutiques obscures* dans ce passage donne des conseils à Guy par l'importance de conserver ces témoignages des bottins et des annuaires. Modiano utilise la photo comme un instrument de retrouver le passé. Sur le rôle de la photo, Guy le narrateur de *Rue des boutiques obscures* s'interroge en disant :*" Pourquoi certaines choses du passé surgissent-elles avec une précision photographique."[3]*

Avec l'évocation du passé, la photo est un instrument pour reconnaitre l'autre comme dans le cas de Guy. A cause de son amnésie, il perd sa mémoire et a besoin de se rappeler. La photo est le premier indice sur la route de la réalité. Stioppa donne à Guy une photo, dans la quelle Guy voit un homme à qui il croit ressembler. Il tente de lancer des interrogations sur cet homme :*"Vous ne trouvez pas qu'il me ressemble ? Il m'a regardé. – Qu'il vous ressemble ? Non. Pourquoi ? – Pour rien. "[4]*

Puis Guy lance la même question à un autre témoin Waldo Blunt : *"Vous le connaissiez ? – Non. [...] - Vous ne trouvez pas qu'il me ressemble ? –*

---

[1] BOLZINGER, Dominique- Meyer, **La scène et la piste Configurations spatiales dans *Rue des Boutiques Obscures,*** Université de Haute-Alsace (Mulhouse), 6 décembre 1990, P.2
[2] MODIANO (Patrick), **" Rue des boutiques obscures"**, *p.12*
[3] ID, Ibid, p.161
[4] ID, Ibid, P.45

Je ne sais pas. "[1] Malheureusement, il n'arrive à rien et **la photo augmente la confusion et l'hésitation.**

5-3-Le téléphone

Le téléphone ou l'annuaire téléphonique sont aussi des guides comme la photo. Chez Modiano, les numéros du téléphone sont faux ou le numéro sonnait dans le vide et personne ne répond : *"Je compose ANJou 15-28. Les sonneries se succèdent mais personne ne répond. "*[2]

Le téléphone perd son utilité parce qu'il ne permet plus de communiquer. La communication est liée à celle de la connaissance et la chute de la question de la communication parmi les personnages du roman est à cause du manque de la connaissance ou des informations parmi eux. En bref, le manque de l'utilité de la photo et du téléphone chez Modiano est une signification de la domination du mystère et de l'ambiguïté dans le roman. **Modiano fait vivre le lecteur dans une atmosphère pleine de mystères et d'ambiguïté.**

VI-La crise de Modiano avec le nom

Le nom de la personne est la première chose qui détermine son identité. Dans le même sens, en décrivant un certain personnage, le nom vient dans la première étape : *"L'être du personnage depend d'abord du nom propre qui, suggérant une individualité, est l'un des instruments les plus efficaces de l'effet de réel."*[3]

Dans l'univers littéraire, le nom est important dans le roman, une importance capitale. Il confère une identité au personnage, l'inscrit dans une généalogie, le rend membre d'une famille et constitue aussi un marqueur social.

---

[1] MODIANO (Patrick), **" Rue des boutiques obscures"**, P. 69
[2] ID, Ibid, **" Voyage de noces"**, P.102
[3] JOUVE (Vincent), **La Poétique du roman**, Paris, Armand Collin/VUEF, 2001, P.57

Le système onomastique chez Modiano porte un certain apanage parce qu'il s'intéresse à rattacher le nom à la problématique du personnage, c'est-à-dire **Modiano ne propose pas un nom absurde pour ses personnages mais chaque nom a une certaine signification** :

"Le héros modianien n'est donc pas si vide. Tout dépouillé qu'il soit de marques bien nettes ou stables, le nom propre offre une méthode nuancée, susceptible d'analyser plus amplement sa fonction dans le récit."[1]

Le personnage, Hutte, nous l'avons déjà abordé comme exemple positif du père désiré et aimable pour Modiano dans le roman *Rue des boutiques obscures*. Le nom **Hutte** en vérité peut avoir une certaine signification. Une hutte est en effet une cabane faite de branchages, de paille et de terre pour enfin servir de petit refuge. C'est exactement ce que représente Hutte pour Guy.

Waldo Blunt un personnage auxiliaire dans le même roman, le nom Blunt est très proche de mot ballon qui est plein d'air sans utilité. ce personnage est sans importance pour notre narrateur: *" son nom de Waldo Blunt était gonflé, comme l'un de ces ballons."[2]Waldo* ne présente aucune aide à notre héros:

"Je le sentais alourdi par la fatigue et l'accablement mais je le surveillais de très près car je craignais qu'au moindre coup de vent à travers l'esplanade, il ne s'envolât, en me laissant seul avec mes questions."[3]

Modiano fait allusion à **l'indifférence** et à **l'incapacité** de ce personnage à aider le narrateur dans son voyage de la quête de son identité en faisant un contact entre le nom du personnage et sa valeur.

---

[1]GELLINGS, Paul, Op., Cit., p.19

[2]Modiano(Patrick), **Rue des boutiques obscures,** p.70

[3] ID,Ibid, p.71

Autre point très important, le problème des faux noms ou des noms d'emprunt, certainement c'est un signe de déracinement, comme nous avons déjà mentionné dans *Rue des boutiques obscures* le narrateur passe par quatre noms pour arriver à son nom véritable. Ainsi, joue le nom un rôle considérable dans son voyage de la quête de son identité. Autre personnage présente la même idée, comme dans *Quartier perdu,* le héros s'appelle dans sa jeunesse Jean Dekker, ensuite dans sa vie adulte, Ambrose Guise et c'est beaucoup plus qu'un pseudonyme: c'est une identité entièrement nouvelle, symbolisée par un passeport anglais.

A côté de ces problèmes concernant le nom chez Modiano, nous observons la division des noms en deux aspects, **la francité[1] du nom** et l'autre **l'étrangeté du nom** puisque Modiano donne des noms d'origine française à certains personnages et donne aussi des noms étrangers à d'autres personnages.

1-La francité du nom

L'attirance pour la francité chez Modiano est indissociable des thèmes centraux dans ses œuvres. Le choix des noms des personnages de Modiano n'est pas loin de cet amour. La plupart des noms français sont pour des personnages féminins.

Nous avons abordé dans le premier chapitre l'image de la femme en déduisant la marginalité et la faiblesse de cette femme pour Modiano, pour cette raison et pour la renforcer il lui a choisi un nom français. D'autre sens, donner un nom français à la femme dans le roman modianien est un moyen de combler le manque d'identité. Par

---

[1]Qualité de ce qui est français ; ensemble des caractéristiques de ce qui est reconnu comme français.

conséquent, **Le personnage féminin qui porte un nom français est une source de sécurité la plupart du temps et autres sont en menace :** *"la francité de la femme doit être considérée comme une charge supplémentaire de racines profondes, un milieu social permettant de se fixer, de se retrouver."[1]*

La figure de Denise l'amie du narrateur dans *Rue des boutiques obscures* : *"Nous(le narrateur avec ses amis) étions à la merci d'un policier ou d'un contrôleur plus tatillons que les autres. Seule, Denise ne risquait rien. Elle était une authentique française."[2]*

Le nom *Denise coudreuse* est un de ces noms suaves très français sécurisants, Guy Roland le héros forme un couple avec Denise Coudreuse qui porte une nationalité française en économisant pour lui la sécurité qui aspire à laquelle la plupart des personnages modianiens.

2-L'étrangeté du nom

En ce qui concerne le nom non-français ou le nom étranger, il traduit l'état de l'apatride en fuite ou à la menace de la mort chez notre écrivain puisque le premier signe de l'apatride est le nom du personnage qui exprime son errance. Le nom de notre écrivain est lui-même un modèle exemplaire de cette idée, Patrick(anglo-saxon), Modiano (italien)[3]. Le nom véritable du héros en *Rue des boutiques obscures* considère une incarnation de l'idée de l'errance *Jimmy Pedro Stern*, *Jimmy* (nom anglo-saxon), *Pedro* (nom espagnol ou sud-américain) , *Stern* (nom juif allemand et signifie l'étoile qui est le symbole de la race juive)[4].

---

[1] GELLINGS, paul, Op, Cit, p.26
[2] MODIANO(Patrick), **Rue des boutiques obscures,** p.181
[3] GELLINGS, paul, Op, Cit, p.31
[4] ID,Ibid, P.32

Le personnage **Oleg Wredé** dans *Rue des boutiques obscures*, le nom flamand de famille *Wrédé* a une inspiration de la cruauté qui convient avec le rôle de ce personnage dans le roman puisqu'il laisse Pedro et Denise ses victimes dans la neige près de la frontière franco-suisse.

Guy Orlow en *Rue des boutiques obscures* et Ingrid Thyrsen en *Voyage de noces*, la première est russe et la deuxième est juive. Les deux affrontent quelques problèmes à cause de leur origine étrangère dans la société et la fin des deux est le suicide:

"Guy Orlow dans Rue des boutiques obscures et Ingrid Thyrsen dans Voyage de noces. Toutes deux sont des réfugiées politiques, l'une Russe et l'autre Juive. Toutes deux ont du mal à trouver leur voie à travers le monde et ratent leur vie, émotive et sociale. Toutes deux finiront aussi par se suicider dans la solitude la plus démoralisante."[1]

Alors, Modiano veut présenter des personnages qui souffrent de **l'exclusion** dans la société à cause de leur origine. De plus, **il emploie le nom comme un moyen expressif du problème de ses personnages**.

Conclusion

A travers ce chapitre, nous avons obtenu quelques résultats: malgré la modernité et le développement dans tous les domaines de la vie, la problématique de la quête de l'identité reste permanente et dangereuse parce qu'il est nécessaire de déterminer le passé pour mieux savoir le présent. Pour Modiano, le passé représente une nécessité très forte et cela apparaît bien dans son écriture. Le problème de Modiano avec l'identité est résumé en deux axes : le soi et la société.

---

[1] GELLINGS, paul, Op, Cit, p.27

Notre écrivain Patrick Modiano devient le porte-parole en abordant la période de l'Occupation dans le but de faire une vie imaginaire de ses parents qui cachent leur vraie identité et collaborent avec les nazis pour survivre. En lisant l'œuvre modianienne, nous avons trouvé que l'Occupation représente **l'insécurité, la dégradation morale et la peur chez lui.** En réalité, nous avons déduit que le milieu misérable où Modiano a vécu depuis son enfance influence son écriture, à cause d'un père toujours absent, d'une mère occupée, d'un frère disparu.

Continuellement, il cherchait sa famille au milieu de ses personnages. Parfois, il crée des modèles négatifs, parfois, il rêve d'**une famille idyllique** aimable et désirée. La question qui se pose, Est-ce que le père est le chef de famille, un producteur ou un maître à penser? Est-ce que la mère éprouve suffisamment d'amour et d'attachement pour ses fils? La réponse est exactement non, il ne semble pas! Donc, Modiano grandit au sein des figures fuyantes et instables, Il souffre **d'insuffisance paternelle**.

La période difficile de l'Occupation et le désaccord familial aboutit certainement à la formation d'une identité défectueuse[1]. Il est impossible de négliger l'origine juive de Modiano, cet héritage difficile de l'identité juive forme une sorte d'**instabilité**, d'**étrangeté** et d'**exclusion** chez notre écrivain dans son inconscience, c'est-à-dire il n'aborde pas la problématique de l'origine juive dans toutes ses œuvres, ses traditions, ses coutumes voire il crée un personnage juif, errant, misérable seulement. Ce juif trouve une difficulté à s'intégrer dans la société.

---

[1] *"Vide alourdi encore par l'absence d'un frère décédé trop jeune…ce double qui après le père, après la mère emporta avec lui une perspective précieuse. Car, à défaut de cette dernière possibilité d'identification, l'identité du héros modianien sera toujours défectueuse."*, voir à GELLINGS, Paul, Op, Cit, P.201

Dans le même chapitre, nous avons exposé les problèmes psychologiques concernant le personnage modianien comme l'errance et nous avons trouvé que le but de l'errance chez Modiano est **la fuite d'une identité refusée de la société ou afin de quêter l'identité perdue.** Quant à la marginalité, le personnage modianien se trouve obligé de vivre en marge de la société qui le refuse à cause de son origine ou ce personnage se sent différent des autres et se trouve dans l'impossibilité de s'identifier.

Le personnage modianien a affronté un problème avec le nom soit il ne sait pas son vrai nom comme Guy Roland dans *Rue des boutiques obscures* , soit il préfère cacher son nom pour échapper à la police à cause de son origine juive comme le cas d'Ingrid Thyrsen la juive autrichienne dans *Voyage des noces*. Ensuite, le personnage-type de Modiano s'appuie sur la communication non verbale pour transmettre son message par exemple, il y a des personnages qui portent toujours des accessoires comme les chapeaux et les lunettes de soleil afin de les utiliser comme un moyen de **fuite du monde et un désir de cachette de cette société.**

D'autre part, on trouve quelques gestes fréquents chez les personnages modianiens comme le froncement des sourcils, ce geste traduit **la constante inquiétude et les soucis du personnage –type.** Le recours au chuchotement et au murmure pendant la parole des personnages est une conséquence logique de leur sensation de **l'inquiétude et de l'ambigüité** à travers des phrases toujours coupées par des points de suspension.

En analysant des modèles différents de personnages modianiens, nous avons trouvé qu'ils sont toujours dans un état d'interrogation surtout sur leur identité, **Qui suis-je? Quelle est mon rôle dans la société?**

Comment peux-je m'intégrer dans la société? Pourquoi me traitent-ils de cette manière? Ces questions sont les questions de la plupart de ses personnages qui sont une réflexion de lui. En bref, nous avons déduit des traits communs chez les personnages modianiens qui sont une réflexion de son âme et sa souffrance puisque les personnages pour l'écrivain sont comme les enfants pour l'homme. Parmi ces traits, **l'incapacité, la cachette, la fuite, la disparation, l'ambigüité, l'insécurité et la faiblesse.**

Dans le chapitre prochain, nous mettons l'accent sur la question de l'espace en utilisant l'approche sémiotique. Cette étude sera dans le but de compléter le spectacle en mettant en relief **la problématique de la quête de l'identité dans les lieux comme un fil conducteur.**

Deuxième chapitre

La sémiotique de l'espace dans l'œuvre de Modiano

Introduction

Pour Modiano, l'espace a une grande importance pour se mettre sur la piste d'un souvenir. Comme il l'affirme dans son discours : *" chaque quartier, chaque rue, d'une ville, évoque un souvenir, une rencontre, un moment du bonheur."*[1] Il croit fortement au pouvoir d'un lieu de dévoiler un souvenir du passé. Il ajoute que :*"grâce à la topographie d'une ville, c'est toute votre vie qui vous revient à la mémoire par couches successives comme si vous pouviez déchiffrer les écritures superposées d'un palimpseste."*[2]

Chez Modiano le destin des personnages a un rapport étroit avec les lieux qui ont conservé les pas de leur vie. Seuls les lieux gardent la trace du passé mais les hommes finissent toujours par disparaître ou par mourir. Notre but dans ce chapitre est d'évoquer le rapport entre les lieux et la mémoire. De plus, notre étude a pour but de déchiffrer la signification de l'espace d'après une approche sémiotique chez Modiano :*"Les objets, les lieux et les comportements envisagés comme supports de signification Ainsi, la photographie permet de donner à voir, le plus «naturellement» du monde, des objets, des lieux, des personnages, des gestes, etc. qui sont susceptibles d'être le support d'une signification."*[3]

En tentant de répondre à des questions variées : **Quelle est l'importance de l'espace dans le travail littéraire? Quel est le rapport entre l'espace et la sémiotique? En ce qui concerne l'espace ouvert, quelle est la poétique dela ville de Paris chez Modiano et ses rues? Est-ce que Nice et la Suisse occupent la même importance chez Modiano?**

[1]Le Monde, Verbatim : le discours de réception du prix Nobel de Patrick Modiano, Paris, http://www.lemonde.fr/prix-nobel/article/2014/12/07/verbatim-le-discours-de-reception-du-prix-nobel-de-patrick-modiano_4536162_1772031.html#sUZL3O3UOzV0uBR8.99
[2]*Ibidem.*
[3]Domenjoz, Jean-Claude, **L'approche sémiologique**, Contribution présentée dans le cadre de la session I du dispositif de formation 1998-1999 «catégories fondamentales du langage visuel», Septembre 1998, p:20

Quant à l'espace clos, **Quel est le rôle de la maison chez Modiano? Pourquoi Modiano recourt- il à des lieux obscurs et abandonnés comme la boite de nuit, le labyrinthe? Qu'est ce que les lieux intermédiaires et quel est leur rôle à exprimer la perte de l'identité? etc.....**

Avant de répondre à ces questions, on doit savoir **Quelle est la relation entre le premier chapitre et le deuxième chapitre?** Autrement dit, **où est le fil conducteur entre les deux chapitres?** En justifiant, nous pouvons dire qu'il y a une relation complétive et causative entre les deux chapitres. Le deuxième chapitre est une conséquence logique de ce qui est présenté dans le premier chapitre. **Le fil conducteur est la perte del'identité, dans le premier chapitre nous avons exposé les figures de la crise identitaire chez Modiano mais dans le deuxième chapitre nous allons tenter d'exposer l'impact du problème sur les lieux en montrant la relation entre ces lieux et la mémoire.**

I- L'espace et la sémiotique

En réalité, l'espace dans le roman contemporain n'est plus l'axe secondaire mais il devient un des thèmes majeurs dans la littérature. Le héros modianien se trouve obligé de changer son espace d'un lieu à l'autre à la recherche de son identité perdue puisque la quête de l'identité et le retour au passé sont logiquement marqués par la visite de divers pays, des villes et des lieux différents comme restaurants, rues.

D'ici vient l'importance de l'espace dans l'écriture modianienne. Les longues descriptions des rues et des labyrinthes sont une preuve très importante sur l'intérêt que porte notre écrivain à l'espace. Gaston Bachelard indique que quand les souvenirs sont liés à un espace déterminé, ils donnent une sorte du renforcement à ces souvenirs : *"C'est par l'espace. C'est dans l'espace que nous trouvons les beaux fossiles de durée concrétisés par de longs séjours. (....) les souvenirs sont immobiles d'autant plus solides qu'ils sont mieux spatialisés.*"[1]

Nous avons consacré ce chapitre tout entier à la question de l'espace et sa poétique chez Modiano et nous avons choisi l'approche sémiotique pour la suivre dans notre étude. Alors, **Qu'est-ce que la sémiotique? et Quelle est sa relation avec l'espace?**

La sémiotique est la science des signes qui vise à comprendre les processus de production du sens:

*"La **sémiotique**, la discipline qui étudie les signes, est une discipline plus générale que la **linguistique**, qui ne traite que des signes linguistiques. La **sémantique**, au sens restreint (au sens large elle est l'étude des signifiés linguistiques et autres), est la branche de la linguistique qui étudie le contenu.*"[2]

Les deux romans mentionnés dans notre thèse *Rue des boutiques obscures* et *Voyage de noces* dans lesquels l'espace n'est pas un simple décor mais un langage et l'approche sémiotique nous aide à comprendre ce langage, car chaque terme est soigneusement et significativement choisi :

"Le langage des relations spatiales peut être un moyen pour rendre compte du réel, même au niveau de la modélisation idéologique. Les concepts haut/bas, droit/gauche, ouvert/fermé, délimité/non délimité prennent le sens de valable/non valable, bon/mauvais, accessible/inaccessible, mortel/immortel etc."[3]

---

[1]BACHELARD, Gaston, Op, Cit, P.28
[2]Hébert, Louis, *L'ANALYSE DES TEXTES LITTÉRAIRES : UNE MÉTHODOLOGIE COMPLÈTE*, Université du Québec à Rimouski (Canada), Numéro de la version : 11.3, Date de la version : 11/11/2013, P. 60 Contact : louis_hebert@uqar.ca
[3]SONG, Ki-Jong **La Sémiotique de l'espace dans l'œuvre de Le Clézio**. Le cas de La Quarantaine, Université d'Ewha, Séoul (Corée du sud), 2012, P.371

Alors, nous tentons d'examiner la signification des lieux et des objets en utilisant la sémiotique comme un moyen de comprendre ces significations chez Modiano. Nous commençons par l'espace ouvert puis l'espace clos, les espaces opposés.

II – L'espace ouvert

L'espace ouvert joue un rôle dans le roman de Modiano. On doit savoir d'abord la définition de l'espace ouvert :

"L'espace ouvert est une expression utilisée par les urbanistes pour désigner les superficies non bâties intégrées dans le fonctionnement des aires urbanisées. L'ouverture fait alors avant tout référence à l'échappée visuelle paysagère par contraste avec l'horizon fermé qui caractérise l'espace bâti. Ian Mc Harg, urbaniste et paysagiste, emploie cette expression dans son ouvrage « Composer avec la nature » publié en 1969 aux États-Unis."[1]

L'écrivain a recourt dans son roman à la description de l'espace ouvert pour beaucoup de raisons, entre elles, l'espace ouvert donne la chance à l'écrivain de créer un état de crédibilité par des noms vrais des rues, des quartiers et des lieux sociaux : *"La fonctionnalité de l'espace ouvert est également sociale : espace de récréation pour les citadins, lieu de rencontre, support de pratiques éducatives, etc."[2]* De plus, l'espace ouvert donne à l'écrivain la liberté à l'émancipation de son histoire. La rue et les villes comme Paris, Nice, la Suisse sont une représentation de l'espace ouvert.

1 –Paris

La ville est un élément très important pour le lecteur dans le but de déterminer les préoccupations psychologiques des personnages : *"la ville*

---

[1]BANZO, Mayté**L'espace ouvert pour une nouvelle urbanité**. Géographie. Université Michel de Montaigne - Bordeaux III, 2009, P.5
[2]ID, Ibid, P.9

est représentée comme une entité vivante, elle est le plus souvent le symbole de la société."[1]

Mais la question qui se pose, **Est ce que Paris imprime son image dans l'âme de notre écrivain ou c'est l'écrivain qui donne son impression de la ville?** Autrement dit, on trouve la création et l'imagination dans l'écriture de Modiano au sujet de Paris ou son écriture est la reflexion du réel. La réponse à cette question se focalise dans des points déterminés. Chez Modiano la ville de Paris est avant tout un espace poétisé, elle représente la terre de la mémoire, elle signifie le rapport entre elle et les souvenirs de notre écrivain soit ces souvenirs sont agréable ou désagréables.

Le retour au passé est un des thèmes majeurs chez Modiano et les lieux l'aident à évoquer ce passé : *"les lieux conservent la trace des souvenirs enfuis et des êtres disparus."*[2] Par conséquent, le passé devient évident et présent sous nos yeux à travers ces lieux. D'ici vient l'importance de la ville de Paris qui atteste la plupart de souvenirs de notre écrivain.

Paris est pour Modiano une nécessité littéraire. Ses romans se focalisent sur l'errance d'un homme déraciné et solitaire en explorant la ville dans l'espoir de trouver des indices qui lui permettraient de combler les trous d'une mémoire lacunaire :*"Dans le roman contemporain, dépositaire d'un sens perdu, la ville et ses dédalesdevient surtout un espace de déchiffrement que l'homme interroge comme une sorte de miroir de lui-même."*[3]

---

[1]KAPP, David, **La ville irréelle dans les œuvres de Patrick Modiano et Paul Auster**, Université de Rouen, 2003, P.6
[2] ROUX, Baptiste, Op, Cit, p. 115.
[3]ÉVRARD, Franck, **Lire le roman policier**, Dounod, Paris, 1996, p.114

Alors, Modiano fait de Paris la ville de la contradiction, parfois, la ville des rêves, d'espoir d'arriver à la réalité. Parfois, la ville des fantômes, de la peur.

Quant au côté négatif, à cause de l'Occupation allemande, Modiano fait de Paris une prison et ses personnages sont des gens enfermés sans possibilité de fuite :*"On remarquera que les bâtiments devant lesquels l'enquête nous conduit ont tous quelque chose d'impersonnel ou d'officiel (hôtels, hôpitaux, casernes, commissariats) [...] cette atmosphère étouffante, liée à l'occupation de la capitale par l'armée allemande, qui fait du Paris des années de guerre une véritable ville-prison."*[1]

Guy Roland avec son amie Denise Coudreuse les héros du roman de *Rue des boutiques obscures* décident d'échapper de Paris pour éviter les catastrophes de la guerre, ils tentent de sortir de cette prison mais malheureusement, ils ne réussissent pas à achever leur désir. Guy est atteint par l'amnésie et Denise a disparue : *"Mme Coudreuse aurait disparu au cours d'une tentative de passage clandestin de la frontière franco-suisse, en février 1943. Les enquêtes conduites à Megève (Haute-Savoie) et à Annemasse (Haute-Savoie) n'ont donné aucun résultat."*[2]

D'autre part, le héros de Modiano refuse de rester au centre de la ville, il préfère arriver dans **les périphériques** parce que le centre évoque chez lui le malheur, la perte et la peur :
"Et je suis sûr que je descends la rue Mirabeau, si droite, si sombre, si déserte que je presse le pas et que je crains de me faire remarquer, puisque je suis le seul piéton. (...) Il m'arrivait aussi d'emprunter le

---

[1] DUBOSCLARD (Joël), **Dora Bruder de Patrick Modiano**, Hatier, 2006, pp. 52 - 53.
[2] MODIANO (Patrick), **" Rue des boutiques obscures"**, P.178.

chemin inverse et de m'enfoncer à travers les rues calmes d'Auteuil. <u>Là,</u> <u>*je me sentais en sécurité.*</u> *"[1]*

Pour Guy Roland le centre de la ville de paris devient comme un fantôme; il est le synonyme de danger mais la périphérie est calme et jouit de la sécurité. La même chose pour Jean le narrateur de <u>*Voyage de*</u> <u>*noces*</u>, il sent la sécurité dans les quartiers périphériques, il se demande et répond en même temps en disant :

"Pourquoi, vers dix-huit ans, ai-je quitté le centre de Paris et rejoint ces régions périphériques? <u>Je me sentais bien dans ces quartiers, j'y</u> <u>*respirais.*</u>*"[2]*Alors, nous trouvons un melange entre la creation et l'imagination d'une part et l'incarnation du réel d'autre part, Paris se divise en deux figures selon Modiano. La première figure est le centre de la ville qui représente chez Modiano la peur et l'insécurité à cause des mains de l'Occupation allemande. La deuxième figure est consacrée aux quartiers périphériques de la même ville qui représentent la sérénité et le calme pour notre écrivain.

1-1-Les rues abandonnées

Paris représente l'espace littéraire par excellence et en même temps le moteur de sa quête, ses rues sont intégrées au récit jusqu'à en devenir le sujet principal. Pendant le voyage de l'enquêteur soit de son identité, soit de ses souvenirs, il est obligé d'affronter un groupe d'indices qui évoquent le passé. Parmi ces indices, Modiano met l'accent sur les lieux abandonnés, les rues désertées et l'appartement vide. Les rues sont notre moyen pour arriver à notre but et compléter notre vie. Durablement, Modiano cherche quelque chose dans ses rues.

---

[1] MODIANO (Patrick), **" Rue des boutiques obscures"**, 167
[2] ID, **" Voyage de noces "**, P.96.

La description précise des rues augmente la crédibilité de l'enquête et crée une atmosphère authentique de l'histoire. Nous observons que tous ces rues sont réelles à la différence des autres composantes du roman comme les personnes, le temps et les faits.pour Modiano *"les rues révèlent un Paris mystérieux, territoire du doute et de la perplexité arpenté par des promeneurs à la recherche d'une identité et d'un passé perdus."*[1] **La rue Cambacérès, paris, VIII e.** Cette rue, dans laquelle se déclenche le souvenir de Pedro le héros amnésique de *Rue des boutiques obscures*, est en effet décrite avec la plus grande crédibilité : *"Vous tournez à gauche et ce qui vous étonnera ce sera le silence et le vide de cette partie de la rue Cambacérès."*[2]

Les rues ne sont pas des parcours qui aident le personnage de passer d'un lieu à l'autre seulement mais des lieux qui le font passer d'un état à l'autre : de la contemplation à la nostalgie, du présent au passé. **Elles sont comme le fil conducteur qui lie deux étapes dans la vie de la personne entre le présent et le passé.** Mansour un personnage secondaire dans *Rue des boutiques obscures* avoue pendant sa rencontre avec le narrateur : *"Excusez-moi, (...) cette rue me rappelle de drôles de souvenirs... "*[3]
Ses romans sont plein de nom de rues, de lieux, de stations de métros et d'hôtels. L'accumulation d'adresses, de noms de rues expriment la vie en fuite par exemple en *Voyage de noces*: *20, rue de Tilsitt Hôtel du 39 bis Boulevard Ornano (adresse voisine de celles des parents de Dora Bruder) 19, rue de l'Atlas.* En *Rue des boutiques obscures*: *Rue Anatole de la Forge, Avenue de la Grande Armée, Rue Charles Mari Widor, Rue Claude Lorrain, Rue Boileau, Rue Chardon Lagache, Boulevard Richard Wallace, Quai du général Koenig.*

---

[1] ÉVRARD, Franck, Op, Cit, P. p. 114
[2] Modiano (Patrick), **" Rue des boutiques obscures"**, p.90.
[3] ID, Ibid, P.138.

L'infinité de citer les noms des rues, des labyrinthes et des pistes dans le roman modianien est une raison principale à créer une sorte d'ambiguïté et une atmosphère sombre chez le lecteur. D'ordinaire, nous pouvons voir la scène de la poursuite de la police après les coupables dans le roman et le film policier mais **chez Modiano les héros cherchent dans les rues afin de trouver les pistes du Passé, leur souvenir et leur identité.**

1-2- Les deux rives de la seine[1]

Il y a une différence entre la rive droite et la rive gauche. Les deux sont polysémiotique :

"La Rive gauche n'est pas non plus innocente chez Modiano et comporte le même genre de condensation hyper sémantique, c'est-à-dire de nombreux gisements ou couches successives de mauvais souvenirs.....la Rive droite peut, malgré tous les mauvais souvenirs d'Occupation, devenir un signe de liberté."[2]

Chaque rive parmi les deux occupe une certaine signification chez Modiano. La rive gauche est le lieu des souvenirs misérables de l'enfance mais la rive droite est un signe de la liberté.

Jean le narrateur de *Voyage de noces* choisit l'hôtel Dodds dans la porte Dorée située dans la rive droite pour quelques raisons, d'abord, il veut se débarrasser de sa vie monotone ; son métier ; son épouse Annette et ses amis infidèles. Ensuite, il s'échappe dans cet endroit afin d'écrire la

---

[1]Le terme **Rive droite** désigne à Paris, la partie de la ville située au nord de la Seine, par opposition à la Rive gauche. Les îles situées sur le fleuve ne rentrent pas dans le cadre de cette terminologie. Le terme **Rive gauche** désigne à Paris, la partie de la ville située sur la rive au sud de la Seine, par opposition à la Rive droite. Les îles situées sur le fleuve n'appartiennent, par nature, à aucune des deux rives.
[2]GELLINGS, Paul, Op, Cit, P. 40-41

biographie de son ancienne amie Ingrid : *"Il fait beau, aujourd'hui, Porte Dorée."[1]*

Jean trouve la tranquillité, la sérénité et la joie dans cet endroit nommé Porte Dorée. Le nom est très significatif, l'adjectif doré représente les années heureuses que Jean tente d'évoquer dans sa vie personnelle et la vie de son amie Ingrid malgré la misère de la guerre. En bref, **la Rive droite est le symbole de l'espoir du paradis perdu.**

2- Nice

Nice n'a pas moins d'importance que paris chez Modiano. Nice est une ville méditerranéenne et comptait plus de cinq cent mille habitants. Dans *Rue des boutiques obscures*, Nice est la ville originelle de Hutte le patron de Guy Roland le héros de roman. Il exprime sa joie après son retour à Nice dans sa lettre à Guy : *" Mon cher Guy, j'ai bien reçu votre lettre. Ici, les jours se ressemblent tous, mais Nice est une très belle ville. Il faudrait que vous y veniez me rendre visite. "[2]*

Et aussi:

"Mon cher Guy, je vous remercie de votre lettre. Je suis très heureux, à Nice...à Nice, chaque coin de rue me rappelle mon enfance."[3]

Hutte l'ami fidèle du héros Guy qui l'aide après son amnésie choisit Nice pour passer le reste de sa vie et après cela il envoie une lettre à Guy en exprimant son bonheur et sa joie à Nice. Contrairement, comme paris est la ville de la contradiction pour Modiano, Nice représente la tranquillité.

3- La Suisse

La Suisse est l'autre lieu qui occupe une grande place chez Modiano. Dans l'Europe embrasée par la guerre la Suisse semble prodigieusement protégée par sa neutralité. Modiano exprime son amour pour la Suisse:

---

[1] Modiano (Patrick), **" Voyage de noces "**, P.20.
[2] ID, **" Rue des boutiques obscures"** P.51.
[3] ID, Ibid, p.174.

*"Tout flottait, à Lausanne, le regard et le cœur glissaient sans pouvoir s'
accrocher à une quelconque aspérité. Tout était neutre. Ni le temps, ni la
souffrance n'avaient posé leur lèpre, ici. D'ailleurs, depuis plusieurs
siècles, de ce côté du Léman, il s'était arrêté, le temps."*[1]

Modiano fait une peinture de la Suisse dans laquelle on ne voit pas de
douleur, d'angoisse voire on voit un monde parfait, un paradis sur la terre.
Dans *Rue des boutiques obscures*, les montagnes de Haute-Savoie où se
sont réfugiés Denise et Pedro, les deux héros de roman, peuvent être
considérés comme un cadre spatial idéal, un lieu bénéfique dans l'univers
Modianien. Les héros ont choisi ces montagnes comme un refuge
provisoire à cause de la proximité de la Suisse et sa sécurité : *"murmurait
Pedro... J'ai un moyen de passer au Portugal... Par la Suisse..."*[2]Comme
nous avons exposé l'importance de l'espace ouvert et la signification de
ses éléments. Dans le point suivant, nous allons montrer l'importance de
l'espace clos et la signification de ses éléments comme le bureau, la
maison, le labyrinthe. De plus, l'importance des lieux intermédiaires
comme la fenêtre, la porte, l'escalier et le palier.

IV- L'espace clos

Comme l'ouverture de l'espace chez Modiano a une signification, la
clôture de l'espace a aussi une signification.

1 – Le bureau de l'enquêteur

Selon Peirce, il envisage le signe comme élément d'un processus de
communication, au sens non de «transmettre» mais de «mettre en
relation».**Le bureau** est le lieu de travail de l'enquêteur, dans lequel il

---

[1] MODIANO, Patrick, **" Livret de famille"**, P.117
[2] ID, **" Rue des boutiques obscures"**, P.172.

pratique son métier jour et nuit, en même temps, il est considéré aussi comme son lieu de vie.

"Par signe j'entends tout ce qui communique une notion définie d'un objet de quelque façon que ce soit [...]."[1]

Le bureau n'est pas une simple pièce des meubles mais il représente une certaine signification dans le décor de l'atmosphère policière chez Modiano:

"En général, le roman policier contemporain emprunte le décor d'une grande ville ;ils'agit d'ailleurs très souvent de Paris. Le décor met en scène un Paris obscur et brumeux, car le noir absolu convient mieux au décor du roman policier qu'un temps ensoleillé. Dans cette ville ambigüe, le détective part à la recherche de pistes et exerce ainsi son métier dans trois lieux principaux : son bureau, les bars/restaurants et la rue. Les décors modianesques - les rues, les lieux de passages, les appartements et Bâtiments abandonnés– sortent tout droit de la série noire."[2]

Le bureau de l'enquêteur est une place très importante dans la vie du détective où il reste et pratique son métier. Chez les héros modianiens, le bureau assume deux postes, il est le lieu de travail mais en même temps il est le lieu de la vie privée. Dans *Rue des boutiques obscures,* Modiano présente son narrateur Guy sans appartement, il est soit à l'Agence soit dans la rue.

Le métier de détective oblige Guy Roland à trouver un lieu plus tranquille et confortable pour achever son travail. Il préfère s'isoler dans son bureau loin des gens. Modiano présente l'ouverture de roman *Rue des boutiques obscures* du bureau :

---

[1] PEIRCE, Charles- Sanders, **Ecrits sur le signe**, Paris, Seuil, 1978, p. 116.
[2] SURÁNY(Lilla), Op, Cit, p 65

" *Hutte se tenait derrière le bureau massif ......j'étais assis en face de lui, sur le fauteuil en cuir ...... souvent nos clients attendaient dans cette pièce. Un tapis persan protégeait le parquet...des rayonnages de bois sombre couvrent la moitié du mur...le canapé au velours usé, la cheminée...*"[1]

Cette description ne donne pas l'impression d'un lieu très aimable mais le lecteur peut arriver par ces vieux meubles **à une atmosphère obscure.**

Nous pouvons voir l'absence de cet élément dans *Voyage des noces* parce que le héros est durablement en voyage selon son travail comme explorateur, il ne reste pas dans un seul espace mais il est toujours en mouvement.

2-La maison

La maison est un lieu intime et protecteur puisqu'elle fournit à l'homme la protection, la stabilité et la mémoire. Elle est le moyen entre l'homme et le monde entier. Bachelard nous montre l'importance de la maison en disant : *"La maison est notre coin du monde (....) Notre premier univers. Elle est vraiment un cosmos."*[2]

Les personnages déracinés de Modiano sont distingués par le manque d'une maison natale. Ils vivent toujours dans une chambre d'un hôtel ou dans un bureau d'une agence. La problématique de Modiano sur la maison se focalise sur deux axes principaux. **D'abord, elle représente le lieu du refuge. Ensuite, elle représente le lieu de la mémoire.**

Quant au premier axe, **la maison est le lieu de la sécurité**, le lieu primaire de l'enfant dans sa famille, elle représente pour lui la sécurité voire le refuge du danger. A cause de la déchirure familiale chez Modiano. Il donne une certaine importance à la valeur de la maison

---

[1] MODIANO (Patrick), **" Rue des boutiques obscures"**, PP.11-12.
[2] BACHELARD (Gaston), Op, Cit, p.24

comme un refuge du danger. Dans *Rue des boutiques obscures*, le chalet aux volets verts cachés sous la neige est le symbole de la cabane protectrice où Guy Roland et Denise Coudreuse les deux héros de roman évoquent des jours heureux. Quand les deux sont restés seuls dans le chalet de Montagnes, ils imaginaient que cette cabane est leur maison :

"Le chalet était à nous. Je voudrais revivre certaines nuits limpides où nous contemplions le village, en bas, qui se découpait avec netteté sur la neige et l'on aurait dit un village en miniature, l'un de ces jouets que l'on expose à Noël, dans les vitrines. Ces nuits-là tout paraissait simple et rassurant et nous rêvions à l'avenir. Nous nous fixerions ici, nos enfants iraient à l'école du village, l'été viendrait dans le bruit des cloches des troupeaux ... Nous mènerions une vie heureuse et sans surprises."[1]

Les deux refusent leur destin plein de difficultés et de problèmes. De plus, ils souhaitent avoir une maison reposante comme cette cabane pour passer le reste de leur vie.

Dans *Voyage de noces*, l'appartement où se réfugie Ingrid l'héroïne de roman, après sa fuite dans la ville noire du couvre-feu, est aussi une parfaite image de l'intimité protectrice :*" Comme il est rassurant de contempler les rayonnages de livres, la lampe d'opaline sur le guéridon, les rideaux de soie, le grand bureau Louis XV près des fenêtres, et de sentir sur sa peau la fraîcheur et la légèreté des draps de voile."[2]*

Dans les descriptions de cet appartement d'avant-guerre, on retrouve les symboles de l'intimité reposante : la lumière, la douceur, la chaleur ; les murs couverts de livres et le feu dans la cheminée. Cet espace est concret et symbolique en même temps.

---

[1] MODIANO, Patrick, **" Rue des boutiques obscures**", P.224.
[2] ID, **" Voyage de noces**", P.136

En ce qui concerne le deuxième axe de la problématique de la maison avec Modiano. **La maison est le lieu de la mémoire**. comme nous avons déjà mentionné que les lieux conservent la mémoire puisqu'ils sont comme un pont entre le présent et le passé.

Jean le narrateur de *Voyage de noces* visite l'appartement où habite son ami Rigaud depuis trente ans. Dans cet appartement, il commence à chercher dans les tiroirs, les chambres qu'à ce qu'il arrive à quelques informations privées concernant son ancien ami : *"J'ai voulu ouvrir le tiroir de l'une des tables de nuits.....une vieille enveloppe marron dans le tiroir. Le timbre portait la mention : Etat français. L'adresse était écrite à l'encre bleue...."*[1]

En bref, Modiano tente à travers ses personnages de remplacer le manque du rôle de la maison dans sa vie par la cabane protectrice de Guy et Denise et l'appartement luxueux d'Ingrid. De plus il met l'accent sur le rôle de la maison à faire revivre les mémoires.

3-Le labyrinthe

Précédemment, nous avons abordé la poétique de Paris et ses rues comme un exemple de l'espace ouvert chez Modiano et nous avons remarqué que Paris est une terre paradoxale parfois, la terre d'espoir de trouver des pistes du passé. Parfois, la terre des fantômes et des spectres des hommes morts. Dans ce point, nous allons aborder un autre aspect de la terre et des rues de Paris comme un espace clos : le labyrinthe.

---

[1] MODIANO, Patrick, **" Voyage de noces"**, P.107

Le labyrinthe est : *"l'ancien symbole du mystère, thème sur lequel se rejoignent la poésie romanesque et le roman policier."*[1] Le héros modianien marche d'une manière infinie afin de sortir du labyrinthe et trouve ses pistes. Les adresses inconnues qui se multiplient dans *Rue des boutiques obscures* et *Voyage de noces* transforment Paris en un grand labyrinthe. Donc, la ville devient une terre des mystères au lieu d'être une source de sécurité et de sérénité.

Le détective privé Guy le héros de *Rue des boutiques obscures* tente de déchiffrer le mystère de son identité perdue. Parfois, Guy pense qu'il trouve la bonne piste mais malheureusement il sait que son voyage de la recherche à Paris est en vain :

"Quai de Passy. Pont de Birr-Hakim. Ensuite l'avenue de New-York [...] Place de l'Alma, première oasis. Puis les arbres et la fraîcheur du Cours-la- Reine. Après la traversée de la place de la Concorde, je toucherai presque le but. Rue Royale. Je tourne à droite, rue Saint-honoré. A gauche, rue Cambon. [...] De nouveau, la peur me reprend."[2]

Les phrases courtes, l'absence de verbes et le rythme rapide sont des traits marquant l'écriture de ce passage. Le lecteur imagine la vitesse de Guy et sa course. Une autre scène du labyrinthe, Guy tente de sortir de ce labyrinthe à l'aide de Robert le gardien de ce château mais au milieu de sa marche il se souvient de quelques pistes de passé :

"Quand nous sortîmes du labyrinthe, je ne pus m'empêcher de dire à mon guide : - C'est drôle... Ce labyrinthe me rappelle quelque chose...Mais il semblait ne pas m'avoir entendu. "[3]

---

[1] SURÁNY, Lilla, Op, Cit, P.68
[2] Modiano (Patrick), **" Rue des boutiques obscures"**, p. 168.
[3] ID, Ibid, P.90

Guy a le sentiment de connaître ce lieu. En traversant ce labyrinthe Guy se sent plus calme que dans le cas du labyrinthe menaçant de la grande ville. En bref, le labyrinthe chez Modiano représente sa vie misérable à Paris. Il vit dans un grand labyrinthe et comme Robert un guide pour le narrateur Guy, il y a un guide très important dans la vie de Modiano c'est l'écriture. **Son métier est le seul espoir dans sa vie misérable et sa réussite dans le domaine littéraire l'aide à sortir de son labyrinthe.**

4-Les bars, les boites de nuit et les restaurants.

La plupart des rencontres des héros modianiens se passent dans les bars et les boites de nuit tels les criminels et les délinquants comme si la perte de l'identité était un crime et l'enquêteur était un criminel parce qu'il perd son identité :

"L'enquêteur est souvent conduit aux bars, aux boîtes de nuit, aux cabarets, aux restaurants, qui sont des lieux confinés pour toutes les rencontres plus ou moins avouables."[1] La fumée, la musique forte du Jazz et l'obscurité dominent ces lieux. L'enquêteur visite ces lieux afin de s'approcher de ses témoins sur son passé et les interroger. Dans *Rue des Boutiques obscures*, Guy entre dans un bar qui n'a pas de nom particulier pour voir le pianiste Waldo Blunt:

"Le bar était bondé et il n'y avait aucune place, [...]. Des clients, américain ou japonais, entraient, s'interpellaient et parlaient de plus en plus fort. [...] une jeune femme était même perchée sur les genoux d'un homme aux cheveux gris. [...] La lumière du bar baissa, comme dans certains dancings aux premières mesures d'un slow."[2]

Cette scène nous présente une image d'un bar ambigu où la musique et l'obscurité sont des éléments permanents. A travers ces lieux, Modiano

---

[1] OLIVIER, Philippe, OP, Cit, P. 138.
[2] Modiano (Patrick), **" Rue des boutiques obscures"**, p. 55. 57.

fait vivre le lecteur dans une atmosphère **plein d'angoisse et d'ambigüité qui sont convenable à la problématique du narrateur, celle de la perte de l'identité, le fil conducteur de notre étude.**

5-La rencontre par hasard dans un espace clos

Le hasard de la rencontre entre le héros et l'héroïne dans un espace clos, c'est un détail récurrent dans les romans modianiens : *"Tout détail doit nous permettre de pénétrer au centre de l'œuvre puisque chaque détail est motivé et intégré (…). Un détail convenablement repéré nous donnera la clé de l'œuvre."*[1]

Le narrateur vit toujours en compagnie d'une femme qu'il a connue par hasard dans un lieu clos. Dans <u>Rue des boutiques obscures</u>, Guy Roland le narrateur raconte comment il rencontre Denise Coudreuse pour la première fois dans un bar d'hôtel :*"Je crois que c'est dans un bar d'hôtel que nous nous sommes rencontrés pour la première fois, Denise et moi. Je me trouvais avec l'homme que l'on voit sur les photos, ce Freddie Howard de Luz, mon ami d'enfance, et avec Gay Orlow. Ils habitaient l'hôtel pour quelque temps car ils revenaient d'Amérique. Gay Orlow m'a dit qu'elle attendait une amie, une fille dont elle avait fait récemment la connaissance. Elle marchait vers nous et tout de suite son visage m'a frappé. Un visage d'Asiatique bien qu'elle fut presque blonde. Des yeux très clairs et bridés. Des pommettes hautes. Elle portait un curieux petit chapeau qui rappelait la forme des chapeaux tyroliens et elle avait les cheveux assez courts. Freddie et Gay Orlow nous ont dit de les attendre un instant et sont montrés dans leur chambre. Nous sommes restés l'un en face de l'autre."*[2]

---

[1] Pierre Guiraud et Pierre Ruentz, **La stylistique**, Séries A. Lectures, Editions Klincksieck, Paris, 1975, p. 139.
[2] Modiano(Patrick),**Rue des boutiques obscures,** p.134

Dans *Voyage de noces*, Ingrid rencontre Rigaud par hasard dans un certain café après sa fuite de son père:

"A la fermeture du salon de thé, elle se retrouvera dehors, sous La pluie (...) elle a remarqué deux jeunes gens. L'un porte un costume gris clair (...) L'autre est brun et porte une veste de tweed usé (...) le brun s'est levé et s'est approché d'elle. Il l'aide à se lever. Dehors, ils font quelques pas sous la pluie et elle se sent mieux. Il tient par le bras."[1]

Dans *Quartier perdu* les deux personnages font connaissance dans une station de sports d'hiver au moment où le narrateur a l'intention d'en partir faute d'argent. Le soir de son départ une panne d'électricité plonge l'hôtel dans la pénombre :

"(...) le concierge avait posé sur le bureau de la réception une torche électrique qu'il prenait de temps en temps pour aller chercher derrière lui, au fond d'un casier, la clé ou le courrier d'un client. (...) Je m'étais assis dans un coin, tout près de la réception. J'ai entendu le concierge dire :

- Mais bien sûr, madame... Tout de suite, madame... tout de suite... Puis il a repris le téléphone.

- Allô... Je voulais savoir si la voiture était prête pour Madame Blin...

- Il a raccroché

- Il n'y a plus aucun problème, madame Blin.

Alors, mes yeux se sont posés sur cette madame Blin, qui me tournait le dos et s'appuyait non calament du coude au comptoir de la réception. La torche du concierge éclairait ses cheveux blonds. Elle portait une veste de fourrure beige. Elle n'était ni grande ni petite. Son visage a légèrement oscillé dans ma direction, et grâce au faisceau lumineux de la

---

[1] MODIANO, Patrick, **Voyage de noces**, pp.130-140

torche, j'ai remarqué son air soucieux. Elle ne semblait pas avoir plus de trente-cinq ans. "[1]

Toutes ces rencontres se passent dans des espaces clos. Modiano fait de ses héros des criminels, ils ne peuvent pas affronter la société et préfèrent l'existence dans les lieux clos.

6- Les lieux intermédiaires

Pour décrire les moments du retour de la mémoire, Modiano place ses personnages dans certains lieux intermédiaires entre l'espace ouvert et l'espace clos comme la fenêtre, le palier et l'escalier.

Quant à **la fenêtre** : *"elle est un lieu de transition, une frontière, mais aussi un poste d'observation : elle permet de surveiller la rue, c'est-à-dire de suivre la piste, de retrouver son passé. "[2]* la fenêtre fait entrer la lumière et l'air et rend l'atmosphère plus vive, de plus, l'esprit de l'homme devient plein d'espoir dans sa matin. **Chez Modiano, la fenêtre représente le pont entre le passé et le présent.**

Le narrateur de *Rue des boutiques obscures* contemple des fenêtres pendant son voyage de la quête de son identité en sentant qu'il voit ces fenêtres dans cet immeuble au passé :

" Il semblait que les fenêtres de tous ces immeubles absorbassent l'obscurité qui tombait peu à peu.....Alors une sorte de déclic s'est produit en moi. La vue qui s'offrait de cette chambre me causait un sentiment d'inquiétude, une appréhension que j'avais déjà connue. Ces façades, cette rue déserte, ces silhouettes en faction dans le crépuscule me troublaient de la même manière insidieuse qu'une chanson ou un parfum jadis familiers. Et j'étais sûr que souvent, à la même heure, je m'étais tenu là, immobile, à guetter, sans faire le moindre geste, et sans

---

[1] MODIANO, Patrick, **Quartier perdu**, Paris, Gallimard, 1984, pp. 91- 92.
[2] BOLZINGER, Dominique- Meyer, Op, Cit, P.8

*même oser allumer une lampe."[1]*La fenêtre peut relier le passé au présent dans la pensée du narrateur.

En ce qui concerne **le palier**, il est un autre modèle du lieu intermédiaire. Le palier *"représente le lieu de la transition entre l'intérieur et l'extérieur."[2]*Guy le narrateur de <u>Rue des boutiques obscures</u> imagine son ancien ami qui meurt dans son appartement : *"Je suis resté un instant sur le palier. Je l'imaginais regagnant par le couloir bleu nuit le salon aux satins rose et vert."[3]*

Donc, ces lieux intermédiaires jouent un rôle considérable à vivifier la mémoire des narrateurs modianiens.

V- Les espaces opposés

"Les espaces se divisent d'abord en deux axes : en axe vertical et en axe horizontal. Ensuite ils se présentent en deux espaces opposés comme le haut/le bas et la gauche/la droite. De la différence entre les espaces opposés, il se produit un phénomène sémiotique."[4]

C'est-à-dire, chaque espace a une signification sémiotique différente de l'autre espace opposé par exemple, le ciel reflète la montée, la tranquillité et le sacré mais la terre signifie la dégradation et la chute. Dans ce point, nous allons traiter les espaces opposés chez Modiano comme la lumière et l'obscurité. La saison d'été et la saison d'hiver.

1-Le jeu de la lumière / l'obscurité

La lumière et l'obscurité sont une représentation de l'espace opposé chez Modiano. Le jeu de la lumière et de l'obscurité est comme le jeu entre les

---

[1] Modiano(Patrick), **Rue des boutiques obscures,** p.122
[2] KAPP, David, Op, Cit, P.47
[3] Modiano(Patrick), **Rue des boutiques obscures,** p.149
[4] Song, Ki-Jong, Op, Cit, *P.374*

certitudes et le flou ou encore entre le présent et le passé. Quant à la lumière, dans un entretien avec Pierre Maury, Modiano avoue en disant : *"La lumière m'intéressait. J'aime bien aussi certaines lumières estivales, très contrastées."*[1]La source de la lumière dans les romans de Modiano est toujours le soleil, le feu et parfois la lumière d'une lampe. Cette lumière aide les héros à illuminer leur pensée dans leur voyage à la recherche du passé.

Dans *Rue des boutiques obscures*, la lampe est toujours allumée :*" La lampe d'opaline répandait une lumière vive qui m'éblouissait."*[2]

Et encore :

" La lampe d'opaline de l'Agence fait une tache vive"[3]

Donc, **la lampe sur le bureau du détective aide à allumer non seulement le lieu mais aussi elle allume sa pensée.** La lampe représente le guide qui aide le détective dans son travail, le narrateur Guy Roland a besoin de la lampe pour détecter des nouvelles pistes dans la route de la quête, c'est-à-dire, elle représente l'espoir à l'avenir.

En ce qui concerne l'obscurité, la nuit est le seul moment le plus obscur et inquiétant de la journée :

"Il y a une autre valeur métaphorique de la nuit, qui est d'une grande importance symbolique: c'est le sens de profondeur intime, d'intériorité physique ou psychique."[4].

Bien que la nuit soit le temps de la méditation, des songes et des rêves et le temps de se libérer de l'ennui des jours , elle est parfois le temps de la mélancolie et de la souffrance. L'atmosphère du roman *Rue des boutiques obscures* est dominante par l'obscurité grâce à la ressemblance forte entre

---

[1] MAURY(Pierre), entretien, Op, Cit, p.103.
[2] Modiano (Patrick), **" Rue des boutiques obscures"**, P.11.
[3] ID, Ibid., *p.74*
[4] GENETTE, Gérard, **Figure II**, coll. « Tel Quel », 1969, P. 109.

ce roman et le roman policier. Modiano utilise des termes obscurs comme
: " *La nuit tombait, [...] il faisait nuit, [...] samedi soir, [...] c'est la nuit,
[...] la nuit était presque tombée, [...] il faisait noir, [...] deux heures du
matin, [...] l'obscurité qui tombait peu à peu, [...] ce soir-là, [...] le soir
est tombé.*"[1]

Modiano évoque le jeu de la lumière et de l'obscurité pour transmettre un
message au lecteur de l'instabilité et le tourment de ses narrateurs. Par
exemple, le héros de *Rue des boutiques obscures* préfère rester dans
l'obscurité puis il commence à allumer la lumière. **Alors, l'acte
d'allumer et éteindre la lumière inspire une étrange inquiétude en
stimulant des habitudes anciennes et des souvenirs:**
*"J'ai [Guy] tourné le commutateur, mais au lieu de quitter le bureau de
Hutte, je suis resté quelques secondes dans le noir. Puis j'ai allumé la
lumière, et l'ai éteinte à nouveau. Une troisième fois, j'ai allumé. Et
éteint. Cela réveillait quelque chose chez moi : je me suis vu éteindre la
lumière d'une pièce qui était de la dimension de celle ci, à une époque
que je ne pourrais pas déterminer. Et ce geste, je le
répétais chaque soir, à la même heure.*"[2]
Le contraste entre l'obscurité et la lumière reflète l'âme trouble des héros
de Modiano. La lumière représente les informations mais l'obscurité la
perte de ces informations. En un mot, **la lumière est une incarnation de
tout ce que le narrateur sait mais 'obscurité représente tout ce qu'il
ignore.**

2-L'influence des saisons

La saison à des fonctions poétisées dans les romans de Modiano, elle joue
un rôle très important à l'évocation de la mémoire chez les narrateurs

---

[1]Modiano (Patrick), **" Rue des boutiques obscures",** *p. 38., 46., 63., 74., 93., 94., 104., 122., 186., 251*

[2] ID, Ibid, p.165

:*"Le retour cyclique de certaines périodes de l'année est même parfois empreint d'une inquiétude chronique."*[1] Les événements de roman *Rue des boutiques obscures* se passent en deux saisons l'hiver et l'automne mais les événements dans *Voyage de noces* se déroulent en été. Chaque saison a sa signification différente de l'autre.

Au commencement du roman *Rue des boutiques obscures*, la saison dominante est l'hiver. Tout au long du roman, le héros souffre d'une sensation d'étouffement à cause de la chute de la neige :*"D'autres nuits, la neige tombait et j'étais gagné par une impression d'étouffement. Nous ne pourrions jamais nous en sortir, Denise et moi. Nous étions prisonniers, au fond de cette vallée, et la neige nous ensevelirait peu à peu. Rien de plus décourageant que ces montagnes qui barraient l'horizon. La panique m'envahissait"*[2]

Dans ce passage, nous observons l'influence de la neige sur l'âme du héros Guy et son amie Denise. La neige arrive peu à peu jusqu'à ce qu'elle étouffe totalement l'horizon. Donc, la neige se transformait à une source d'ennui.

Quant au roman *Voyage de noces* où la saison d'été domine : *"En ce qui concerne la fonction saisonnière chez Modiano.....le retour des saisons entraine fatalement le retour de la problématique du héros, toujours égal à lui-même, déraciné, angoissé, etc...."*[3] C'est le cas de Jean le narrateur, le retour de la saison d'été évoque chez lui le passé et les souvenirs différents : *"**L'été** est une saison qui provoque chez moi une sensation de vide et d'absence et me ramène au passé."*[4]

---

[1] GELLINGS, Paul, Op, Cit, p.52
[2] MODIANO (Patrick), **" Rue des boutiques obscures"**, *p.225*
[3] GELLINGS, Paul, Op, Cit, p.53
[4] MODIANO, Patrick, **" Voyage de noces"**, p. 26.

La chaleur résultante de la saison d'été provoque une mauvaise sensation chez le narrateur.

"Les jours d'été reviendront encore mais la chaleur ne sera plus aussi lourde ni les rues aussi vides qu'à Milan, ce mardi-là." [1]

"J'avais déposé ma valise à la consigne et quand j'étais sorti de la gare, J'avais hésité un instant : on ne pouvait pas marcher dans la ville sous ce soleil de plomb." [2]

"Dehors il faisait nuit mais la chaleur était aussi étouffante qu'en plein après-midi." [3]

"J'ai marché le long de la galerie Victor-Emmanuel. Tout ce qu'il y avait de vie, à Milan, s'était réfugié là pour échapper aux rayons meurtriers du soleil." [4]

En premier regard sur toutes ces citations, nous trouvons une gradation ascendante de la description de la chaleur à Milan. *La chaleur lourde, soleil de plomb, la chaleur étouffante, rayons meurtriers,* toutes ces expressions évoquent le responsable de la mort de cette femme Ingrid au début du roman sont **les rayons meurtriers**. Donc, la neige résultante de l'hiver et la chaleur résultante de l'été sont des criminels, l'accident de la frontière-suisse dans *Rue des boutiques obscures* ou le suicide d'Ingrid dans *Voyage de noces*. Modiano fait de cet élément de la nature des monstres qui font mal aux personnages.

---

[1] MODIANO, Patrick, **" Voyage de noces"**, P.11
[2] Ibidem
[3] ID, Ibid, p.15
[4] ID, Ibid., p.13

Conclusion

L'espace joue beaucoup de fonctions dans l'œuvre modianienne. Nous avons trouvé la diversité de l'espace à cause de l'errance des personnages chez Modiano parmi un espace policier, un espace ouvert, un espace clos et un espace opposé. Cette diversité fait un état de richesse dans l'œuvre modianienne.

Modiano utilise des traits similaires avec le roman policier surtout dans la description et l'utilisation de la connotation spatiale. Les identités inconnues, la fuite du temps et la mémoire sont une cause de l'évocation des lieux abandonnés et obscurs.

Alors, il reste une analyse qui éclaircit la technique de l'écriture de l'œuvre de Modiano. Il faut répondre à la question : Par quels outils, quels procédés et par quels schémas Patrick Modiano a pu exposer sa problématique : la quête de l'identité à travers ses écritures ? C'est ce qu'on va discuter au quatrième chapitre intitulé : L'œuvre modianienne ; une étude paratextuelle et narrative.

Troisième chapitre

L'œuvre Modianienne: Etude paratextuelle et narrative

Introduction.

Dans ce chapitre, nous étudierons les deux romans *Rue des boutiques obscures* et *Voyage de noces* d'après une approche paratextuelle et narrative dans le but de déchiffrer la technique de leur intrigue d'un point de vue méthodique, clair et scientifique. Pour l'approche paratextuelle, d'une part, nous mettrons en considération l'étude des titres, la dédicace, la couverture, l'incipit…etc. En ce qui concerne l'approche narrative, nous mettrons en scène l'importance de la méthode narrative à l'analyse littéraire. A la lumière du texte modianien, nous étudierons quelques notions narratives comme les fonctions de la narration et comment peut-on insérer la narration dans une œuvre littéraire…etc. Étant des pionniers, Vincent Jouve, Gérard Genette, Yves Reuter et Michel Raimond seront la référence essentielle de l'approche narrative.

I- D'après une approche paratextuelle.

Dans cette partie nous mettrons l'accent sur une étude des quelques notions paratextuelles de l'œuvre de Patrick Modiano. Nous commencerons par l'étude du paratexte. Notre référence principale sera l'œuvre de Vincent Jouve et l'œuvre de Gérard Genette.

Le paratexte est un aspect fondamental du texte. Il est un appareil textuel qui se présente comme un outil indispensable pour entourer la signification de l'œuvre littéraire. De plus, le paratexte participe à établir un rapport entre l'auteur et le lecteur en formant un pacte de lecture qui aide à orienter le processus de réception de l'œuvre dès le départ. Mais avant de mettre ces éléments paratextuels à l'épreuve, il serait important de définir la notion de« paratextualité », son origine, ses portées, ses différentes catégories.

La paratextualité est l'un des cinq types qui constituent les relations transtextuelles[1]. Etymologiquement, le terme paratexte est composé du préfixe : *para*« à côté de» et l'autre mot *texte*[2]. On peut voir ce terme comme tout ce qui se trouve autour du texte lui-même et qui a été ajouté par l'auteur ou l'éditeur pour apporter une complémentarité au texte. Cette notion du paratexte a pris plusieurs appellations telles que *Hors livre* chez Derrida, *Métatexte* chez J. Dubois et *la Périgraphie du texte* comme zone intermédiaire entre le Hors texte et le texte.

Selon Vincent Jouve : *"Le paratexte est le lieu où se noue explicitement le contrat de lecture.....en donnant des indications sur la nature du livre aide le lecteur à se placer dans la perspective adéquate.....le paratexte renvoie à tout ce qui entoure le texte sans être le texte proprement dit. Il joue un rôle majeur dans l'horizon d'attente du lecteur."*[3] Le paratexte est un des moyens qui aident l'écrivain à transmettre son message au lecteur. L'œuvre modianienne est une œuvre qualifiable du point de vue paratextuel. :

" *Le paratexte désigne un ensemble de productions discursives qui accompagnent le texte ou le livre, comme la couverture, la jaquette (...). Cet accompagnement relève alors de la responsabilité privilégiée de l'éditeur et de ses collaborateurs : il s'agit du* **paratexte éditorial**. *Cette présentation peut également relever de l'auteur : titres, dédicaces, épigraphes, préfaces, notes, etc., sont alors concernés pour définir le* **paratexte autoctorial.** *"*[4]

C'est une sorte d'étude du hors-texte. Nous mettrons l'accent sur deux axes principaux **le paratexte autoctorial** dans lequel, nous envisagerons

---

[1] Les autres types sont : l'intertextualité, la métatextualité, l'hypertextualité et l'architextualité.
[2] Voir **le Dictionnaire International des Termes Littéraires** (nous avons consulté ce dictionnaire sur Internet), 15/1/2017
[3] JOUVE, Vincent, Op, Cit, P. 11.
[4] LANE, Philippe, **La Périphérie du texte**, Paris, Université Nathan, 1992, P.9

le rôle du nom d'auteur, les titres et les dédicaces. Nous allons ensuite analyser certains éléments **du paratexte éditorial** : les couvertures. De plus, nous ne pouvons pas renier le rôle de l'incipit dans l'étude paratextuelle de l'œuvre littéraire.

1-Le paratexte autoctorial

On distingue deux types du paratexte, le paratexte éditorial et le paratexte autoctorial. En ce qui concerne le paratexte autoctorial, il est tout ce qui est relatif à l'auteur (le nom de l'auteur, le titre, la dédicace) c'est ce que nous allons essayer d'expliciter en fonction de nos deux corpus.

1-1-Le nom de l'auteur

Quand le lecteur choisit son œuvre, le premier regard est visé au nom de l'auteur. Le lecteur lit pour ses auteurs préférés sans donner une importance au titre de l'œuvre parce qu'il sait bien que cet auteur lui plaît. Le nom de l'auteur détermine le domaine littéraire de l'œuvre et la promotion de l'œuvre. D'ici vient l'importance du nom de l'auteur

"L'inscription au péritexte du nom, authentique ou fictif, de l'auteur, qui nous paraît aujourd'hui si nécessaire et si «naturelle», ne l'a pas toujours été, si l'on en juge par la pratique classique de l'anonymat, et qui montre que l'invention du livre imprimé n'a pas imposé cet élément du paratexte aussi vite et aussi fortement que certains d'autres..."[1]

Au passé, on ne donnait pas d'importance au nom de l'auteur si ce nom est vrai ou fictif, Mais aujourd'hui, les écrivains préfèrent signer leurs œuvres en employant leur nom propre au lieu d'un pseudonyme. Comme nous avons déjà mentionné dans le premier chapitre de notre étude que Modiano est un écrivain engagé et son existence par son nom authentique

---

[1] GENETTE ,Gérard, **Seuils**, Paris, Seuil, 1987, P.41

dans son œuvre est un des éléments fondamentaux de sa responsabilité. La position du nom de l'auteur dans nos corpus est mentionnée dans la première de couverture en dessus du titre.

1-2-Le titre

Vincent Jouve donne une définition au titre en disant : " *le titre se présente comme le nom du livre, sa carte d'identité".*[1] Le titre vient directement après le nom de l'auteur et occupe une grande importance dans l'œuvre littéraire :

"Toute œuvre littéraire peut être considérée comme formée de deux textes associés: le corps (essai, roman, drame, sonnet) et son titre, pôles entre lesquels circule une électricité de sens, l'un bref, l'autre long..."[2]

Le titre est l'élément le plus attractif, expressif et polysémique dans le texte. Il est la première porte sur le texte. Quant au choix du titre, la responsabilité du choix du titre retourne à l'auteur et l'éditeur peut suggérer mais il n'oblige jamais l'auteur à choisir un certain titre. Genette confirme que : *"la responsabilité du titre est en principe toujours partagée entre l'auteur et l'éditeur."*[3]

Pour Modiano, on voit la domination de noms des lieux dans les titres de la plupart de ses romans comme *La Place de l'Etoile, Villa triste* et *le Quartier perdu*, etc. Chaque lieu ou titre a une certaine signification chez Modiano :

" *La présence du nom de lieu dans certains titres annonce le pouvoir significatif et lyrique de l'espace dans les textes mêmes.*[4]

---

[1] JOUVE, Vincent, Op, Cit, P. 12.
[2] BUTOR, Michel, **Les Mots dans la peinture**, Flammarion, 1969, p. 17.
[3] GENETTE, Gérard, **Seuils**,Op, Cit, P. 78.
[4] GELLINGS, Paul, Op, Cit, P. 34

C'est-à-dire, **le nom des lieux dans le titre est adéquat avec l'idée de la quête, la quête de l'origine et l'identité qui sont le fil conducteur dans notre mémoire.** En observant les titres de Modiano, *La Place de l'Etoile*, Ce titre a une haute valeur, il renvoie à la place de l'étoile juive qui regroupe les Juifs. *Villa triste*, Ce titre renvoie à une sorte de nostalgie chez Modiano et l'adjectif qualificatif triste évoque son chagrin.

Quant au *Rue des boutiques obscures*, c'est le titre d'un de nos corpus. Il représente la dernière trace devant le héros à retrouver son passé :
"Et puis, il me fallait tenter une dernière démarche : me rendre à mon ancienne adresse à Rome, Rue des Boutiques Obscures."[1]

En même temps, ce titre évoque la crédibilité et l'authenticité de l'œuvre modianienne car il est une rue réelle à Rome. La rue fait réellement partie du plan de Rome. Elle s'appelle **Via delle Bottegheoscure** et se trouve entre la Via Arenula et la Pizza Venezia. De plus, ce titre est un titre métonymique car il : *"s'attache à un élément ou à un personnage secondaire de l'histoire."[2]* Comme nous avons déjà mentionnée l'importance de la rue dans le roman modianien : elle est un axe principal. Le mot Rue est un espace ouvert qui évoque la lumière au contraire de l'obscurité dans l'adjectif qualificatif *"obscure"* qui renvoie à l'amnésie du héros. Cette alternance entre la lumière et l'obscurité ressemble à l'état du héros et aux événements du roman.

Quant au roman *Voyage de noces*, il est un roman construit sur une quête d'identité, sur le fond d'Occupation allemande, période à laquelle il aime se référer. Ce titre est un des titres métaphoriques que Vincent Jouve

---

[1]MODIANO (Patrick), **" Rue des boutiques obscures"**, P.213.
[2]JOUVE, Vincent, Op, Cit, P.13.

définit en disant : "*Les titres métaphorisés décrivent le contenu du texte de façon symbolique.*"[1] Ce titre avec l'absence de l'article décrit d'une manière ironique le fond du roman qui met l'accent sur la période de l'Occupation.

Dès le premier regard sur ce titre, le lecteur peut comprendre que les événements de ce roman se déroulent dans une vie calme entre deux amants ou deux nouveaux époux. En réalité, les événements de ce roman se déroulent dans un étrange voyage de noces, un voyage de noces dans une maison abandonnée, un voyage de noces menacé par les dénonciations et les rafales allemandes.

Ainsi ces deux titres sont-ils aptes à générer des évocations, des interprétations impressionnantes qui éclaircissent une spécification concernant la problématique permanente de l'identité perdue dans les différents lieux chez Modiano.

1-3-La dédicace

La dédicace est considérée comme un des éléments du paratexte autoctorial. Il signifie : "*mettre un ouvrage sous le patronage de quelqu'un. L'inscription, toujours en tête de livre, fonctionne comme un hommage rendu par l'auteur à un personnage dont on n'attend pas forcément récompense ou protection.*"[2]

La dédicace chez Modiano est toujours courte, brève et libérée d'une fonction de justification. D'après Modiano, il ne donne pas d'importance à cet élément dans ses écritures mais le roman *Voyage de noces* a une certaine dédicace :

---

[1] JOUVE, Vincent, Op, Cit, P.13.
[2] MECHERI, Mohamed Saïd, **Les différents aspects du paratexte dans l'œuvre de Jean-Paul Sartre *Le Mur*,** Université KASDI MERBAH Ouargla, 2008, P.72

Pour Robert Gallimard

Robert Gallimard est son ami, il est le propriétaire d'une maison d'édition très connue dans le milieu littéraire. Robert aide Modiano dans sa route, de plus, il est l'éditeur de la plupart de ses romans, c'est pour cela il lui dédie ce roman.

Mais l'autre corpus *Rue des boutiques obscures* contient une dédicace :

"POUR RUDY

POUR MON PÈRE"

La dédicace de Patrick Modiano en fait est courte «*Pour Rudy, Pour mon père*», elle ne porte que le nom du dédicataire. Il importe de signaler que les deux dédicataires sont les membres de sa famille et représentent une importance particulière. C'est la première fois que Modiano dédie un roman à son père après sa mort avec la première parution de ce roman au public. De plus, son frère Rudy représente chez lui son enfance perdue avec sa mort, c'est pourquoi, il lui dédie ce roman.

2-Le paratexte éditorial

Le paratexte éditorial dépend dans la première étape de la responsabilité de l'éditeur en faisant la couverture de l'œuvre. A travers le paratexte éditorial l'éditeur tente de séduire le public pour acheter cette œuvre. De plus, l'éditeur joue un rôle principal dans le premier contact entre le lecteur et l'œuvre littéraire. Selon Gérard Genette, le péritexte éditorial est la zone de texte qui se place sous la responsabilité directe et principale (mais non exhaustive) de l'éditeur.[1] Cet aspect du paratexte est essentiellement spatial et matériel.

---

[1] GENETTE (Gérard), ,**Seuils,** Op, Cit, p.21

2-1-La couverture

La couverture est un des éléments du hors-texte comme le nom de l'auteur, le titre et la dédicace. Elle représente un axe majeur du paratexte éditorial qui est le moyen de présenter l'œuvre au lecteur. Le succès de l'œuvre commence par l'attirance de sa couverture. Nous pouvons dire *"qu'une "bonne vente" passe par une bonne couverture."*[1] Dans notre étude, nous mettons l'accent sur la première de couverture. De surcroît de l'élément d'attirance, la couverture présente au lecteur quelques informations très importantes comme le nom de l'œuvre, le nom de l'auteur et le nom de la maison d'édition. De plus, l'illustration ou l'image sur la couverture a une certaine signification. La première de couverture est illustrée toujours par une image. D'après Canvat :

"Les illustrations de la première de couverture remplissent une fonction à la fois publicitaire, elles sont conçues pour attirer le lecteur, référentielle, elles disent quelque chose du contenu du livre, esthétique, elles ont un effet décoratif et idéologique, elles sont liées à des normes culturelles."[2]

Alors, l'image a des objectifs et des fonctions. Elle tente de transmettre un message au lecteur. De plus, il y a une relation étroite entre l'image et le fond du texte parce que l'image résume et complète ce que le texte dit :

"L'image au sens commun du terme, comme au sens théorique est outil de communication, signe, parmi tant d'autres, «exprimant des idées» par un processus dynamique d'induction et d'interprétation. Elle se caractérise par son mécanisme (l'analogie avec le représenté et ses différents aspects) plus que par sa matérialité."[3]

---

[1]MECHERI, Mohamed Saïd, Op, Cit, P.74
[2]CANVAT, Karl,**La fable comme genre. Essai de construction sémiotique,** In Pratiques, 1996, n° 91.
[3] JOLY, Martine, **L'image et les signe**, Nathan Université, 1994.P, 36

Quant au *Voyage de noces*, on peut voir une grande terrasse mais vide sans gens ou meubles et cette terrasse donne sur une rue pleine de gens. Nous remarquons aussi les éléments de la nature comme les palmes. Cette image a des connotations différentes, d'abord cette terrasse vide représente le souvenir du narrateur et il tente de le retrouver quand il sort de cette fenêtre et voit les rues et les gens. Ensuite, les palmes hautes sont une signification de sa vie calme au passé. Quand il lit le titre et il voit l'image, le lecteur pense que cette terrasse est dans un hôtel où les deux époux passent leur voyage de noces. Mais en vérité, le narrateur se souvient de ses beaux jours malgré la misère de la guerre dans ce temps.

En ce qui concerne l'autre corpus *Rue des boutiques obscures*, nous constatons une image obscure convenable avec le titre de roman. D'abord, le lecteur voit une seule source de lumière dans une rue très longue et vide. Ensuite, il distingue deux personnes qui marchent avec leurs ombres mais l'une à gauche et l'autre à droite, les deux sont comme deux personnes errantes et cherchent quelque chose ou quelqu'un. C'est l'état du narrateur qui cherche son identité perdue tout au long du roman.

De plus, nous observons des immeubles vides dans cette rue et leurs fenêtres sont fermées. Ces immeubles évoquent le souvenir perdu du narrateur et signifie aussi la difficulté de retrouver le passé à cause de la fermeture de leur fenêtre. On voit aussi des boutiques fermées dans ces immeubles. Donc, l'image est convenable avec le titre du roman. Les deux évoquent une sensation d'errance, de perte et d'obscurité.

En bref, nous pouvons répondre à la question A quoi sert une couverture? La réponse est consacrée à   protéger le livre avant tout. De plus, elle donne une idée de l'auteur, du sujet du livre. Elle fait vendre le livre en suscitant la curiosité du lecteur et donne au livre son identité et sa singularité en le distinguant d'un autre livre.

3-L'incipit[1]

L'incipit constitue les premiers mots du texte littéraire ou le premier paragraphe. L'incipit présente l'ouverture du livre. La question ici, pourquoi on étudie l'incipit comme une partie des éléments paratextuels, est-il considéré comme une partie du texte lui-même? La réponse est que l'incipit fait partie de cette zone encore indécise entre le paratexte et le texte lui-même.

Quant aux fonctions de l'incipit, il joue un rôle considérable à attirer les lecteurs et les inciter à lire. De plus, il aide à présenter les personnages, les lieux et les thèmes du texte. Goldenstein montre l'importance de l'incipit en disant : "*La véritable rhétorique de l'ouverture qui a pour but de dresser le lecteur et de déterminer son Horizon d'attente.*"[2]et Vincent Jouve ajoute encore que : "*L'incipit, outre qu'il permet de préciser le genre du texte, a pour rôle d'informer et d'intéresser*"[3]

Quant au roman *Rue des boutiques obscures*, le paragraphe de l'ouverture est très expressif : "*Je ne suis rien. Rien qu'une silhouette claire, ce soir-là, à la terrasse d'un café.*"[4] Cet incipit résume la problématique du héros à travers la phrase *"Je ne suis rien"* une sensation de perte, d'indifférence et d'absurdité. Il complète par la description de son âme comme une ombre dans le mot *silhouette* et cela évoque l'état d'incapacité et de faiblesse. Il est une personne sans volonté et sans espoir à l'avenir. De

---

[1]Le terme "incipit" vient du verbe latin incipire= commencer. L'incipit sert à désigner le début d'un roman.
[2]GOLDENSTEIN, Jean-Pierre, **Entrée en littérature**, Hachette, 1990, p. 88.
[3]JOUVE, **Vincent,** Op, Cit, P.22.
[4] MODIANO(Patrick**), Rue des boutiques obscures** , p.11

plus, il détermine le temps dans le mot *soir*, le soir évoque l'obscurité avec l'état de perte du narrateur. Il ajoute le lieu dans le mot *la terrasse d'un café*, le café n'est pas un lieu intime mais il reflète l'état de l'errance du narrateur. **En bref, nous pouvons résumer cette ouverture par l'atmosphère mélancolique et l'état d'angoisse dominant le roman.**

En ce qui concerne l'autre corpus *Voyage de noces*, l'incipit joue encore un rôle à informer et à intéresser :

"Les jours d'été reviendront encore mais la chaleur ne sera plus jamais aussi lourde ni les rues aussi vides qu'à Milan, ce mardi-la. C'était le lendemain du 15 août."[1]

Modiano détermine la date dans *ce mardi- le lendemain du 15 août*. De plus, il détermine la saison dominante dans le roman *été*. En même temps, il y a une signification dans le verbe *revenir* qui évoque le retour au passé dans cet été auparavant en faisant une comparaison entre la chaleur au passé à Milan et la chaleur du temps actuelle. En un mot, nous pouvons résumer que ce roman est un roman des souvenirs à travers cette ouverture.

II- D'après une approche narrative

La richesse de la technique narrative est une des caractéristiques des œuvres de Modiano. C'est pourquoi, il est très important de mettre l'accent sur l'art de la narration chez Modiano. En général, l'étude de la narration s'intéresse à savoir qui raconte le récit, la personne du sujet, le point du vue du narrateur, le temps du récit, le style de la narration, tous ces éléments forment le dispositif narratif mais dans notre étude, nous allons mettre l'accent sur le statut du narrateur, les modes de la

---

[1]MODIANO(Patrick)**, Voyage de noces**, p.9

présentation narrative et quelques procédés narratives utilisées dans l'écriture de Modiano.

Vincent Jouve définit la narration dans son livre *La poétique du roman* comme : *"un geste fondateur du récit qui décide de la façon dont l'histoire est racontée. L'étude de la narration consiste à identifier le statut du narrateur et les fonctions qu'il assume dans un récit donné."*[1] Notre deux corpus mentionnés dans notre thèse sont très féconds du coté narratif. Concernant *Voyage de noces*, la narration à la troisième personne et celle à la première personne s'emboitent l'une dans l'autre. En ce qui concerne *Rue des boutiques obscures*, ce roman représente le psycho-narrateur qui fouille sa mémoire pour former sa personnalité.

1-Le narrateur de Modiano

Le narrateur est un des composants de la technique narrative. Vincent Jouve définit le narrateur en disant : *"le narrateur n'existe qu'à l'intérieur du texte, c'est cette voix qui raconte l'histoire."*[2] Nous allons consacrer ce point pour exposer le statut du narrateur modianien et ses fonctions.

1-1-Le statut du narrateur

Le statut du narrateur signifie sa place à l'intérieur de la diégèse[3] et la manière par laquelle il raconte les faits. Vincent Jouve divise le statut du narrateur en deux axes la relation à l'histoire et le niveau narratif :

"Le statut du narrateur dépend de deux données: sa relation à l'histoire (est-il présent ou non comme personnage dans l'univers du roman?) et le niveau narratif auquel il se situe (raconte –t-il son histoire en récit premier ou est-il lui-même objet d'un récit?)"[4]

---

[1] JOUVE, Vincent, Op, Cit, P.23.
[2] ID, Ibid P.24
[3] "L'univers spatio-temporel du roman", voir JOUVE(Vincent), **La Poétique du Roman**, p.183
[4] ID, Ibid, P.25

1-1-1-La relation à l'histoire

Cet axe s'intéresse à la relation du narrateur à l'histoire il est présent ou absent. Vincent Jouve présente deux états : "*Soi à un narrateur homodiégétique (présent dans la diégèse, c'est-à-dire dans l'univers spatio-temporel de roman) soit à un narrateur hétérodiégétique (absent de la diégèse) [...] parmi les narrateurs homodiégétique; on peut distinguer entre ceux qui jouent un rôle secondaire [...] et ceux qui se présentent comme héros de l'histoire qu'ils racontent [...] on parlera, concernant ces derniers, de narrateurs autodiégétiques.*"[1]

Jean notre narrateur dans <u>Voyage de noces</u> et Guy Roland dans <u>Rue des boutiques obscures </u>sont des narrateurs du type homodiégétique. Les deux sont présents tout au long de l'histoire à cause de l'état de recherche soit de son identité comme dans le cas de Guy ou de ses souvenirs dans l'état de Jean.

En prenant le narrateur Guy comme un exemple : "*Voilà, c'est clair, je ne m'appelais pas Freddie Howard de Luz. J'ai regardé la pelouse aux herbes hautes dont seule la lisière recevait encore les rayons du soleil couchant. Je ne m'étais jamais promené le long de cette pelouse, au bras d'une grand-mère américaine. Je n'avais joué, enfant, dans le labyrinthe.*"[2]

1-1-2-Le niveau narratif

Le niveau narratif s'agit du rôle du narrateur dans le récit narré. Vincent Jouve montre qu'il y a deux narrateurs dans cet état le narrateur extradiégétique et le narrateur intradiégétique : "*il s'agit de s'interroger sur l'éventuel enchâssement du récit [il y a deux narrateurs possibles] le narrateur extradiégétique (il n'est lui-même objet d'aucun récit) [et le*

---

[1] JOUVE, Vincent, Op, Cit, P.25.
[2] MODIANO(Patrick)**, Rue des boutiques obscures**, p.92

narrateur] intradiégétique [il ne narre que des récits secondes, il était lui même l'objet d'un récit]"[1]

Modiano aborde les deux types dans ses romans par exemple le narrateur extradiégétique Jean en *Voyage de noces* narre l'histoire de la première rencontre entre Ingrid et Rigaud :

"Elle(Ingrid) était intimidée quand ils ont passé la grille et traversé la cour de l'un de ces grands hôtels particuliers qui bordent la place de l'Etoile. Au deuxième étage, il (Rigaud) a ouvert la porte d'entrée et il l'a laissée passer devant lui….elle n'a jamais vu de sa vie de pièces aussi vastes et aussi hautes de plafond."[2]

Nous ne pouvons pas oublier l'autre type du narrateur le narrateur intradiégétique puisque le narrateur principal est l'objet des récits racontés. Le narrateur Jean raconte sa rencontre avec Ingrid et Rigaud:

*"Ce tété –la, le malaise n'existait pas, ni cette surimpression étrange du passé surprésent. J'avais vingt ans. Je revenais de Vienne, en Autriche, par le train, et j'étais descendu à la gare de Saint-Raphaël. Neuf heures du matin. Je voulais prendre un car qui m'emmènerait du coté de Saint-Tropez. Je me suis aperçu, en fouillant l'une des poches de ma veste, qu'on m'avait volé tout l'argent qui me restait :trois cents francs…je m'étais posté à la sortie de Saint-Raphaël pour faire de l'auto-stop sur la route du bord de mer. J'ai attendu environ une demi-heure avant qu'une voiture noire ne s'arrête. Première chose qui m'afrappé: c'était la femme qui conduisait, et lui setenait sur le siège arrière…"*3

Nous pouvons observer la diversité et la variété à utiliser les types différents du narrateur chez Modiano.

---

[1] JOUVE, Vincent**,** Op, Cit, p.25
[2] MODIANO(Patrick),**Voyage de noces**, p.131
3 ID,Ibid, pp.26-27

1-2-Les fonctions du narrateur

A côté de la fonction de la narration, Vincent Jouve voit que le narrateur assume autres fonctions : *"outre son rôle narratif il est d'abord là pour raconter une histoire, le narrateur peut assumer un certain nombre de fonctions."*[1] Il y a des fonctions obligatoires comme la fonction narrative et la fonction de régie, de plus les fonctions facultatives.

Quant aux fonctions obligatoires, la fonction narrative vient dans le premier rang. C'est une fonction indispensable à toute narration. Cette fonction attire l'attention sur la figure du narrateur. Chez notre écrivain, le narrateur est sous une forme implicite, aucune annonce de son existence comme le verbe (raconter, narrer) par exemple.

En ce qui concerne la fonction de régie, Cette fonction *"consiste à organiser le récit. C'est elle qui permet les retours en arrières, lessauts en avant, les ellipses, les oppositions et les symétries."*[2] Cette fonction distingue les narrateurs modaniens parce qu'ils retournent toujours à leur passé par exemple comme le narrateur Jean en *Voyage de noces* :
"Le souvenir d'Ingrid m'occupait l'esprit de manière lancinante."[3] Le narrateur évoque ses souvenirs avec cette femme au passé.

Quant aux fonctions facultatives, la fonction testimoniale est une de ces fonctions. Le narrateur juge certains personnages : *"cette fonction renseigne sur la façon dont le narrateur appréhende son propre récit."*[4]
Le narrateur Guy Roland juge le personnage secondaire Waldo Blunt par l'indifférence et l'incapacité à donner des informations : *"Il ne s'envolât,*

---

[1]JOUVE (Vincent), Op, Cit, p.26
[2]ID, Ibid, P.27
[3]MODIANO(Patrick),**Voyage de noces**, p.51
[4]JOUVE(Vincent),Op, Cit, p.27

en me laissant seul avec mes questions."[1] Le narrateur le présente comme un homme sans utilité.

Concernant la fonction de communication, elle s'intéresse à faire une relation entre le narrateur et le lecteur : *"Elle permet au narrateur d'établir un contact direct avec le destinataire."*[2]**Et cette fonction ne distingue pas le narrateur modianien ce qu'il n'y a pas de relation directe entre le lecteur et le narrateur.**

Le narrateur dans la fonction explicative donne des informations pour comprendre l'histoire : *"Elle consiste, pour le narrateur, à livrer les informations qu'il juge utile à la compréhension de l'histoire."*[3] Cette fonction est très rare chez le narrateur modianien mais en même temps, Le narrateur dans le roman *Voyage de noces* donne la raison de l'entassement des gens dans le métro à cause du couvre feu : *" Elle (Ingrid) étouffait dans le compartiment du métro où l'on était serrés les uns contre les autres. Il y avait plus de monde que d'habitude, sans doute à cause de ce couvre-feu de six heures du soir."*[4]

La fonction idéologique apparaît : *"lorsque le narrateur émet des jugements généraux sur l'existence ou les rapports humains."*[5]La position idéologique où le narrateur explique au lecteur tous les événements et les comportements des personnages n'est pas caractéristique pour Modiano. Quant au narrateur de Modiano, il ne s'intéresse pas à cette fonction, par conséquent, le lecteur trouve que l'ambiguïté domine l'œuvre littéraire. Ses romans demandent de la part du lecteur savoir encyclopédique assez vaste. Pour bien comprendre les situations et les comportements des

---

[1] MODIANO(Patrick)**, Rue des boutiques obscures**, p.71
[2] JOUVE (Vincent), Op, Cit, p.27
[3] Ibidem
[4] MODIANO(Patrick),**Voyage de noces**, p.126
[5] JOUVE (Vincent), Op. Cit, p.27

personnages, le lecteur est obligé de consulter soit un dictionnaire, soit une encyclopédie.

En un mot, nous pouvons résumer les traits consacrés aux narrateurs modianiens. D'abord, il préfère toujours le retour au passé et évoque ses souvenirs lointains, c'est pourquoi, nous allons consacrer dans un point suivant le mode rétro chez Modiano comme un mode courant. Ensuite, nous observons l'absence du guidage pour le lecteur puisque le narrateur ne l'aide pas pendant la lecture mais **il le lance comme un touriste dans une ville étrangère.**

2-Les modes de la présentation narrative dans le roman Modianien

Comme le statut du narrateur et ses fonctions, les modes de la représentation narrative jouent un grand rôle dans la technique de la narration. Cette façon dépend de deux axes principaux ; la distance et la focalisation.

2-1-La distance

Premièrement, on doit savoir qu'est ce que la distance? Selon Vincent Jouve, la distance : *"renvoie au degré d'implication du narrateur dans l'histoire qu'il raconte. Il s'agit de déterminer si le narrateur reste «proche» des faits racontés [...] ou si, au contraire, il «prend ses distances» par rapport à l'histoire."[1]*

Il y a deux positions différentes, la première si le narrateur reste proche des faits racontés et commence à donner l'impression la plus fidèle et la plus objective. Dans ce cas, le narrateur attire l'attention sur l'histoire et les faits racontés. Cette position est nommée dans la technique narrative

---

[1]JOUVE(Vincent), Op, Cit, p.28

par **la proximité**. Dans l'autre position, le narrateur est loin des faits racontés et ignore les détails. Il propose un récit flou d'une grande subjectivité. Dans ce cas, le narrateur attire l'attention sur lui-même. Cette position est nommée dans la technique narrative par **la distance**.

Ainsi, voit-on une opposition entre proximité et distance qui renvoie à une opposition entre objectivité et subjectivité. Dans l'ensemble, cette opposition : *"s'inspire de l'ancienne distinction entre le mode mimétique (qui s'emploie à «montrer» et le mode diégétique (qui préfère «raconter»"[1]*

Concernant le narrateur modianien, Guy Roland dans *Rue des boutiques obscures* et Jean dans *Voyage de noces*. Les deux préfèrent la position de la proximité pour montrer fidèlement les détails des faits racontésmais en même temps cela n'empêche pas que les deux tendent parfois à la position de la distance ou la subjectivité quand il y a des choses troubles et floues.Afin d'étudier la distance dans une certaine œuvre, nous devons suivre le mode de la représentation narrative dans les *"trois strates qui composent chaque récit; les événements, les paroles, les pensées"[2]*

2-1-1-Le récit d'événement

Le narrateur dans ce type recourt à des descriptions précises dans le but de faire visualiser l'événement dans le récit. Le narrateur modianien adopte la proximité en concernant les événements puisqu'il :*"choisira de «montrer» plutôt que de « raconter» [...] il renoncera aux sommaires au profit des scènes détaillées et de l'action en train de se faire."[3]*Quant à la proximité, tout au long de son voyage de la quête de son identité, Guy Roland le narrateur de *Rue des boutiques obscures* décrit précisément des lieux différents :

---

[1] JOUVE(Vincent), Op, Cit, p.29
[2] Ibidem
[3] Ibidem

"19, quaid'Austerlitz. Unimmeuble de trois étages, avec une porte cochère ouverte sur un couloir aux murs jaunes. Un café dont l'enseigne est À la Marine. Derrière la porte vitrée, un panneau est accroché où on lit : « MEN SPREEKT VLAAMSCH », en caractères rouge vif."1

Nous distinguons la distance : *"à travers la pratique du résumé et une tendance à substituer aux faits le commentaire sur les faits."2* Modiano évoque la vie d'Ingrid et Rigaud sous la guerre en quelques lignes :

"Les jours, les mois, les saisons, les années passaient, monotones, dans une sorte d'éternité. Ingrid et Rigaud se souvenaient à peine qu'ils attendaient quelque chose, qui devait être la fin de la guerre." [3]

2-1-2-Le récit de paroles

Ce type met l'accent sur le dialogue, dans lequel, on s'intéresse aux paroles des personnages. Vincent Jouve divise ce type en cinq styles. Dans notre étude nous mettons l'accent sur un de ces cinq styles, *le discours rapporté,* C'est une « *citation exacte (en général entre guillemet) des paroles du personnage*»[4]. Dans ce style, le narrateur tend à la proximité pour dessiner une image exacte et fidele d'une personne. Prenons ce passage:

"J'avais toujours, dans la poche intérieure de ma veste, mon passeport et mon permis de conduire (.....) «J'ai l'impression que vous conduisez encore plus mal de moi», m'a-t-elle (Ingrid) dit. Elle m'indiquait le chemin.... «Vous voulez que je vous remplace? » m'a-t-elle (Ingrid) dit."5

---

[1]MODIANO(Patrick)**, Rue des boutiques obscures**, p.126
[2]JOUVE(Vincent), Op, Cit, p.29
[3]MODIANO(Patrick).**Voyage de noces**, p.86
[4]JOUVE(Vincent), Op, Cit, p.31
[5]MODIANO(Patrick).**Voyage de noces**, p.38

2-1-3-le récit de pensées

De son nom, ce type s'intéresse à la lecture de la pensée du personnage.
Ce type met l'accent sur le monologue intérieur ou la vie psychique du
personnage. De plus, dans ce type : "*le lecteur est situé si l'on peut dire,
dans la pensée même du personnage qui soliloque.*"[1]

D'abord, on doit savoir la définition d'un monologue intérieur ou d'un
récit de pensée. Eduard Dujardin est le premier qui utilise cette technique
narrative dans sa nouvelle *Les Lauriers sont coupés* en 1888. En mettant
la lumière sur cette nouvelle technique Dujardin àmontré que c'est un :

"*Discours sans auditeur et non prononcé par lequel un personnage
exprime sa pensée la plus intime, la plus proche de l'inconscient,
antérieurement à toute organisation logique, c'est-à-dire en son
étatnaissant, par le moyen de phrases directes réduites au minimum
syntaxial de façon à donner l'impression* tout-venant.*"[2]*

Michel Raimond dans son œuvre *Le roman* avance une certaine
définition dans la quelle, il présente le récit de pensée comme : "*un
langage à l'état larvaire sourd sans arrêt, d'instant en instant, du tréfonds
de l'esprit, qui ne cesse de mêler les souvenirs, les rêveries, les projets,
les sensations [...] Au lieu de proposer un récit, le romancier donne accès
de façon immédiate au flux d'un personnage.*"[3] Nous pouvons dire que le
monologue intérieur s'intéresse aux sentiments intérieurs du personnage.

Modiano s'intéresse au côté psychique de ses personnages, c'est pourquoi,
cette technique est la plus fréquente dans son écriture afin de donner la
chance au lecteur de partager les souvenirs et les interrogations des
personnages.

---

[1]RAIMOND (Michel), Op.cit., p.126
[2]http://www.site-magister.com/travec5.htm (consulté le 11 février 2015)
[3]RAIMOND (Michel), Op.cit., p.151

Dans cette technique Modiano tente d'exposer les pensées les plus intimes de ses héros en exploitant des surgissements incontrôlés et désorganisés des souvenirs pendant voyage de la quête de l'identité comme dans le cas de Guy Roland le narrateur de *Rue des boutiques obscures* :

"Elle (Hélène Pilgram*) contemplait la petite photo. J'attendais, le cœur battant, qu'elle voulût bien répondre. Elle releva la tête. — Oui... Elle m'en avait parlé... Elle me disait que Megève était un endroit sûr... Et que vous auriez toujours la possibilité de passer la frontière... — Oui... Évidemment... Je n'osais pas aller plus loin. Pourquoi suis-je si timide et si craintif aumoment d'aborder les sujets qui me tiennent à cœur ? Mais elle aussi, jele comprenais à son regard, aurait voulu que je lui donne des explications. "[1]*

On ne peut pas oublier le Je central qui est une nécessité indispensable dans chaque monologue intérieur : "ce je qui ramène tout à lui même, alors que l'autre parole n'a pas de centre, elle est essentiellement errant et toujours au dehors."[2] Le monologue intérieur ne met l'accent pas sur le passé seulement mais il s'intéresse aussi au présent et parfois à l'avenir c'est-à-dire ces souvenirs qui se sont passés au passé peuvent revenir dans le présent et son influence arrive à l'avenir. La chute de la neige cause chez Guy Roland une impression d'étouffement :"A cause de la neige. Depuis une semaine,il n'arrêtait pas de neiger. J'éprouvais de nouveau cette impression d'étouffement que j'avais déjà connue à Paris."[3]

Alors, le monologue intérieur achève la dualité entre le passé et le présent. D. Cohn divise le récit de pensées en 3 points pour étudier le monologue intérieur en dépendant de deux modes principaux la distance et la proximité. Ces façons sont le psycho-récit, le monologue narrativisé

---

[1] MODIANO(Patrick)**, Rue des boutiques obscures**, pp.115-116
[2] BLANCHAT (Maurice), **Le livre à venir**, 1959, http://www.site magister.com/travec5.htm (consulté le 11 février 2015)
[3] MODIANO(Patrick)**, Rue des boutiques obscures**, p. 229

et le monologue rapporté mais dans notre étude nous mettons la lumière sur le psycho-récit et le monologue rapporté.

-Le psycho-récit

Le psycho-récit est le premier axe qui s'intéresse à exposer la vie psychique des personnages. Il est : *"la présentation par un narrateur omniscient de la vie intérieure d'un personnage."*[1] Quant à **la distance**, le narrateur lance un jugement sur son personnage c'est-à-dire le narrateur : *"se désolidarise explicitement – par une évaluation subjective – du personnage dont il décrit l'intériorité."*[2] .

Donc, le narrateur est omniscient la vie des personnages. Prenons cet exemple:*"Pourquoi, ce soir-là, ai-je lié conversation avec Wrédé ? Peut-être parce qu'il était d'un abord agréable. Il avait un regard franc et un air de joyeuse naïveté. Il riait pour un rien."*[3]

Le narrateur juge positivement son personnage et puis dans le paragraphe qui suit , il confirme son jugement sur le même personnage en disant :
"Il souriait toujours. Étrange sourire que je revois encore dans mes rêves."[4]

En ce qui concerne **la proximité**, le narrateur est très proche de son personnage afin de décrire ses sentiments intérieurs sans aucun jugement. Dans ce cas, le psycho-récit est : *"à consonance marquée lorsqu'il [le narrateur] favorise la proximité (c'est-à-dire la neutralité)."*[5]Le narrateur s'intéresse dans ce cas à observer. Prenons cet exemple :*"Il(Rigaud) n'avait jamais eu peur de rien depuis le début de la guerre, mais il avait peur pour Ingrid."*[6]

---

[1]JOUVE(Vincent), Op, Cit, p.31
[2]Ibidem
[3]MODIANO(Patrick)**, Rue des boutiques obscures**, p. 227
[4] ID,Ibid, P.230
[5]JOUVE(Vincent), Op.cit., p.31
[6]MODIANO(Patrick),**Voyage de noces**, p.66

Dans cet exemple, le narrateur Jean en *Voyage de noces* ne lance pas son jugement sur son personnage Rigaud mais il observe sa neutralité. Rigaud est très inquiet à propos d'Ingrid qui n'avait pas de papiers d'identité.

-Le monologue rapporté

C'est un des types de récit de pensées comme le psycho-récit. Vincent Jouve définit ce type comme : "*une citation exacte des pensées d'un personnage.*"[1] Le narrateur dans ce type préfère citer un discours rapporté ironiquement à distance et préfère citer ce discours sans ironie à proximité.

Comme nous avons déjà mentionné, notre narrateur modianien est souvent un narrateur homodiégétique et préfère être très proche des personnages afin d'être capable de dessiner leur psychologie. Pour cette raison Modiano choisit la proximité. Il cite sérieusement leur monologue sans ironie comme dans cet exemple :

"Une nuit, il (Rigaud) s'était réveillé vers trois heures et il avait ouvert la fenêtre à cause de chaleur étouffante. Ingrid dormait et elle avait rabattu le drap au pied du lit. Un reflet de lune éclairait son épaule et la courbure de sa hanche.il se sentait nerveux et ne parvenait pas à retrouver le sommeil."[2]

2-2-La focalisation

La focalisation est le deuxième axe après la distance qui forme les modes de la présentation narrative. Le rôle de la focalisation dans la technique narrative n'est pas un rôle secondaire mais elle est le seul moyen qui montre la position du narrateur par rapport à l'histoire racontée.

---

[1] JOUVE(Vincent), Op, cit., p.32
[2] MODIANO(Patrick),**Voyage de noces**, p.66

Premièrement, on doit savoir la définition scientifique de la focalisation. Vincent Jouve définit la focalisation comme : *"la restriction de champ- ou plus précisément la sélection de l'information narrative – que s'impose un récit en choisissant de présenter l'histoire à partir d'un point de vue particulier."*[1] De plus, il divise la focalisation en trois types; la focalisation zéro, la focalisation interne et la focalisation externe. Nous allons expliquer les trois types selon les deux corpus mentionnés dans notre étude.

2-2-1-La focalisation zéro

Le narrateur dans ce type est omniscient et sait le fil conducteur de l'événement dans le roman mieux que les autres personnages parce qu'il est capable de pénétrer l'intériorité de chaque personnage. Par conséquent : *"On parlera de focalisation zéro lorsque le récit n'est focalisé sur aucun personnage. Il s'agit donc d'une absence de focalisation (....) le seul point de vue qui, en focalisation zéro, organise le récit est celui du narrateur omniscient."*[2]Ce type de la focalisation n'est pas fréquent chez le narrateur Guy Roland dans *Rue des boutiques obscures* parce qu'il perd sa mémoire à cause de l'amnésie et tente tout au long du roman de découvrir les pistes du passé perdu.

2-2-2-La focalisation interne

Le narrateur dans ce type :*"adopte son récit au point de vue d'un personnage. C'est donc ici qu'il y a restriction de champ et sélection de l'information. Le narrateur ne transmettra au lecteur que le savoir autorisé par la situation du personnage."*[3]Dans ce type, le narrateur

---

[1] JOUVE(Vincent), *Op.cit.*, p.33
[2] Ibidem
[3] Ibidem

raconte les événements d'après la vision du personnage et néglige sa vision privée. Etudions cet exemple :

"Waldo Blunt arriva avec un quart d'heure de retard et se mit au piano....il suivit le couloir et traversa le hall désert. Je le rattrapai. – Monsieur Waldo Blunt?...je voudrais vous parler. A quel sujet? Au sujet de quelqu'un que vous avez connu...une femme qui s'appelait Gay. Gay Orlow...vous avez connu Gay? – Nous (Waldo Blunt et Gay Orlow) passions ensemble dans une boite de nuit à New York...je jouais du piano...elle m'a demandé de se marier avec moi, uniquement parce qu'elle voulait rester en Amérique, et ne pas avoirde difficultés avec les services de l'immigration...ma femme est beaucoup plus jeune que moi...trente ans de différence...."[1]

Dans ce passage, le personnage secondaire Waldo Blunt raconte au narrateur Guy Roland son histoire avec sa femme Gay Orlow et comment il la connait. Il narre les événements d'après sa vision subjective et le narrateur ne peut pas savoir ces détails sans l'aide de Waldo.

2-2-3-La focalisation externe

Dans la focalisation externe : *"l'histoire est racontée d'une façon neutre comme si le récit se confondait avec l'œil d'une caméra."[2]* Le narrateur néglige l'intériorité de ses personnages voire il s'occupe de décrire l'aspect extérieur des choses et des êtres comme la camera du réalisateur :

"Je (Jean le narrateur) ai marché le long de la galerie Victor-Emmanuel. Tout ce qu'il y avait de vie, à Milan, s'était réfugié là pour échapper aux rayons meurtriers du soleil. Des enfants autour d'un marchand de glaces, des japonais et des Allemands, des Italiens du Sud qui visitaient la ville pour la première fois. A trois jours d'intervalle, nous nous serions peut-

---

[1] MODIANO(Patrick)**, Rue des boutiques obscures**, PP.60-66
[2] JOUVE(Vincent), Op.cit., p.33

être rencontrés cette femme et moi, dans la galerie, et comme nous étions
français l'un et l'autre, nous aurions engagé la conversation."[1]

Le narrateur dans ce passage commence à décrire l'atmosphère dans la ville de Milan et la chaleur du soleil. C'est un des moments rares ce que il cite quelques détails afin de compléter l'image chez le lecteur comme ces enfants qui jouent dans la rue et achètent la glace et les touristes différents qui se trouvent dans ce lieu. Donc, le narrateur ne focalise pas sur un certain personnage mais il focalise sur une scène extérieure. Il nous présente une scène de la nature de cette ville. En bref, nous voyons la tendance de Modiano envers la focalisation interne que les autres types. Ce type donne au récit la sensation de la liberté et le lecteur n'est pas sous le pouvoir du narrateur.

3-Les procédés narratifs utilisés dans le roman Modianien

Après avoir étudié la technique narrative chez notre écrivain selon les deux corpus mentionnés dans notre thèse, Nous allons mettre l'accent sur certains procédés narratifs qui distinguent l'écriture de Modiano en divisant ces procédés en trois axes principaux, d'abord, **la mode rétro,** ensuite, **l'économie narrative** et enfin, **l'hybridité**. Nous allons aborder chaque axe en détail.

3-1-La mode rétro

La mode rétro se définit comme le retour au passé et Modiano est un des précurseurs de ce courant :

"1974. Trois ans après le Chagrin[2], la France est de nouveau « occupée »
: des films, des livres, des disques, des reportages et des croix gammées à
la une des journaux. C'est le temps d'une mode dite « rétro » [.....] Elle

---

[1]MODIANO(Patrick),**Voyage de noces**, p.13
[2]Le Chagrin et la Pitié, film de 1971

est une rencontre datée entre des auteurs, cinéastes ou écrivains, et un public, entre une offre et une demande potentielles : les conditions idéales d'un marché. Les signes avant coureurs n'avaient pas manqué dans les années précédentes. *Patrick Modiano, un des écrivains phares de ce courant, a publié La Place de l'Etoile (chez Gallimard) en 1968.*"[1]
En réalité, la mission principale de l'historien est de mettre l'accent sur les événements historiques et d'enregistrer les dates, les traités et les conventions dans un certain siècle ou une certaine époque, il néglige la vie sociale des personnes, leur pensée et leur coutumes.

Quant à l'écrivain surtout comme le nôtre, il est **un écrivain engagé** et **un porte-parole** de sa génération qui souffre de la misère de l'occupation :
"Modiano s'est toujours démarqué des écrivains de sa génération concernant les questions d'engagement; il est resté à l'écart des divers engouements et revirements qui font l'histoire de l'intelligentsia. Cet ensemble de raisons légitimerait l'appartenance de Modiano à la mode rétro."[2]
Jean le héros de *Voyage de noces* retourne toujours au passé pour évoquer les souvenirs et la biographie de son amie Ingrid :
"Je me suis revu, vingt ans auparavant, en compagnie d'Ingrid et de Rigaud, dans la demi-pénombre, devant le bungalow. Autour de nous, des éclats de voix et des rires semblables à ceux qui me parvenaient maintenant de la terrasse. J'avais à peu près l'âge d'Ingrid et de Rigaud et leur attitude, qui me semblait si étrange à l'époque, était la mienne, ce soir. Je me rappelais la phrase d'Ingrid : nous ferons semblant d'être morts."[3]

---

[1]ROUSSO, Henry, **Le syndrome de Vichy de 1944 à nos jours**, Seuil, 1990, p. 149
[2]JULIEN, Anne-Yvonne, Op, Cit, p.468
[3]MODIANO(Patrick),**Voyage de noces**, p.49

Modiano dans ce passage à travers son narrateur Jean exploite la mode rétro pour refléter l'ambiance d'une vie différente de la vie présente. Le narrateur se rappelle ses souvenirs avec ses amis Ingrid et Rigaud en faisant une comparaison entre le présent et le passé.

3-2-L'économie narrative

Parmi les procèdes qui distinguent l'écriture de Modiano est l'économie narrative. Il préfère la brièveté dans ses romans qui ne dépassent pas environ 200 pages. La longueur de la description dans la narration n'occupe une grande importance chez lui que dans certaines situations.

L'économie narrative est : *"un procédé qui consiste dans la suppression d'une partie de l'énoncé qui devrait servir normalement de point de transition entre deux moments de l'histoire. Le narrateur accélère le rythme du récit et si, dans un paragraphe, on le voit en train de faire une chose, on le retrouve dans le paragraphe suivant, et sans qu'il en prévienne le lecteur, livré à une autre occupation. Le moment de la préparation à l'action est omis, le narrateur n'en parle pas, le lecteur déduit lui-même la lacune, et peut la combler ce qui n'est pas le cas dans l'ellipse où il s'agit d'omission d'un ou de plusieurs événements qu'on ne peut pas reconstituer, au mieux on peut les supposer.*"[1]

Pour être précis, nous pouvons déterminer des points de l'économie dans la narration modianienne. D'abord, **l'abolition ou la suppression des détails entre deux moments dans le texte**, c'est-à-dire, le narrateur dans ce cas se déplace d'un point dans la narration à l'histoire à un autre point sans donner aucune importance aux détails entre les deux points. Dans ce

---

[1] ANDREEVA, Hélène, **L'ÉCRITURE DE PATRICK MODIANO OU LA FRUSTRATION DE L'ATTENTE ROMANESQUE,** THÈSE DE DOCTORAT EN SCIENCES DU LANGAGE, UNIVERSITÉ DE LIMOGES FACULTÉ DES LETTRES ET DES SCIENCES HUMAINES, 31 janvier 2003, p. 166.

moment, le lecteur affronte un grand problème à combler cette lacune selon son imagination.

Jean le narrateur du *Voyage de noces* décrit son jour dans quelques lignes sans citer des détails mais il s'intéresse aux axes principaux qui se passent dans le jour :

"Je me suis réveillé vers midi et de nouveau j'ai espéré recevoir un message ou un appel téléphonique d'Annette avant la fin de la journée. Je suis allé prendre un petit déjeuner dans le café de l'autre côté de la place aux fontaines. A mon retour, j'ai indiqué au patron de l'hôtel que je resterais dans ma chambre jusqu'au soir pour qu'il n'oublie pas de me chercher si ma femme me téléphonait."[1]

Le narrateur omet des détails dans ce passage par exemple les composants de son petit déjeuner et le lecteur s'interroge s'il mange du fromage, du pain, s'il boit le lait ou le café. De plus, il ne donne pas des détails sur le café où il prend son petit déjeuner. Puis il reste dans sa chambre jusqu'au soir sans citer son activité pratiquée dans ce temps et le lecteur s'interroge s'il lit ou fait du sport. Le même narrateur prend son diner dans le café puis il marche envers le zoo, soudainement, nous le voyons dans sa chambre :

"Alors, je suis allé diner, comme les jours précédents, dans le café du boulevard Soult. Avant de rentrer à l'hôtel, j'ai marché le long de l'enceinte du zoo jusqu'au pin parasol. J'ai laissé la fenêtre grande ouverte, j'ai éteint la lumière et je me suis allongé sur le lit..."[2]

Dans les deux exemples précédents, le lecteur joue un rôle important à la tentative d'imaginer les détails supprimés. Ces ellipses implicites accélèrent le rythme du récit et créent une certaine surprise.

---

[1] MODIANO(Patrick), **Voyage de noces**, p.125
[2] ID, Ibid, p.88

La suppression des scènes érotiques est un autre trait qui confirme le principe de l'économie narrative chez Modiano. En effet, dans le temps contemporain, les écrivains recourent ouvertement à la description des scènes sexuelles sans peur mais Modiano refuse cette tendance dans ses romans :

"Cette évolution ne semble pas toucher Modiano, dont les romans restent très pudiques.... Le narrateur ne décrit jamais les scènes d'amour entre lui et sa partenaire. On les voit avant et après leurs relations intimes, mais jamais le narrateur n'en parle ouvertement."[1]Le narrateur du *Voyage de noces* décide de revenir à sa maison pour prendre des vêtements puis il découvre l'infidélité de sa femme avec son amie :

"J'ai voulu entrer dans notre chambre afin de choisir quelques vêtements d'été et une paire de mocassins. J'ai tourné doucement le bouton de la porte. Celle-ci était fermé de l'intérieur...Qui? Annette et Cavanaugh? Ma veuve car n'était elle pas ma veuve si je décidais de ne plus jamais reparaitre. Occupait-elle en ce moment le lit conjugal avec mon meilleur ami?"[2]

Dans le paragraphe suivant, le narrateur quitte sa femme et son ami pour pratiquer l'amour mais il ne décrit pas ce rapport intime :*"Alors j'ai fermé doucement la porte et j'ai allumé la lampe de mon bureau....et j'ai quitté la pièce, abandonnant ma veuve et Ben Smidane à leurs amours."*[3]

Donc, Modiano n'accorde pas d'importance à ces scènes érotiques et trouve l'inutilité de les citer. Il donne un petit aperçu sur ces scènes pour transmettre au lecteur ce qui se passe en ce moment et lui donne la chance de combler les détails.

---

[1]ANDREEVA, Hélène, **Op, Cit**, p. 170.
[2] MODIANO(Patrick),**Voyage de noces**, p.47
[3] ID, Ibid P.48

3-3-L'hybridité[1]

Depuis le début de ce siècle le terme "hybride" est employé dans des domaines divers tels que l'économie, la finance, les nouvelles technologies, l'industrie et la sociologie pour designer tout phénomène qui contient plusieurs techniques ou procédés de création. Par extension, ce terme signifie ce qui est composé de deux éléments de nature différents anormalement réunis; qui participe à deux ou plusieurs ensembles, genres, styles.

Quant au côté artistique, le travail littéraire se distingue par la diversité des genres et c'est : *" le cas de Modiano qui joue justement sur la multiplicité des traits génériques. Lors de la création de son univers romanesque il emprunte à la fois a plusieurs genres littéraires et entretient l'illusion captieuse du roman policier, du roman historique, du "nouveau" roman, d'une autobiographie, et même du roman classique (sur des petites séquences). "*[2]Donc, l'hybridité ou le métissage des genres littéraires est un aspect indispensable dans l'écriture modianienne. Concernant le roman policier, nous trouvons que le narrateur est dans un état durable d'une quête et d'une fuite. De plus, une atmosphère confuse et vague domine son roman selon notre deux corpus.

En ce qui concerne le roman autobiographique, nous trouvons des points communs entre le narrateur et l'écrivain, son nom, son métier et le lieu de naissance. D'autre côté, Modiano emprunte des traits du nouveau roman comme la dislocation du sujet et les anticipations. Dans le point suivant, nous allons mettre la lumière sur les trois genres littéraires principaux qui

---

[1]*Hybridité* ou *hybridisme* signifie le caractère ou l'état de ce qui est *hybride*. Le mot *hybride* qui fait référence en biologie au « croisement de variétés, de races, d'espèces différentes », désigne, plus généralement, tout ce qui est « composé de deux éléments de nature différente anormalement réunis » in *Le Petit Robert*, 1993.
[2]ANDREEVA, Hélène, Op, Cit, p. 18.

sont empruntés dans l'écriture modianienne. Ils sont le roman policier, le roman autobiographique et le nouveau roman.

3-3-1-Le calque du roman autobiographique

En réalité, la vie privée de Modiano est une source essentielle d'inspiration pour l'écrivain dans son écriture. Il est extrêmement attiré par l'expérience de sa vie et par son passé. Par conséquent, il présente des traits autobiographiques dans ses ouvrages :

" *La part autobiographique est immédiatement perceptible dans l'œuvre de Patrick Modiano.*"[1]

Nous trouvons des détails de la vie propre de Modiano soit le narrateur apporte son nom, son métier, son âge ou l'état de sa famille (la disparation du père, l'absence de la mère et la mort du frère). Dans un certain entretien, Modiano avoue en disant : *"on est condamné à écrire sur des choses qu'on a soit vécues soit ... des choses totalement imaginaires ... Mais là, évidemment, on est obligé de se servir de certains éléments de la vie réelle et puis de les transposer."*[2]

Le narrateur de *Voyage de noces* s'appelle Jean et ce nom est le vrai nom de Modiano (Jean Patrick Modiano) :" *A quoi tu penses, Jeannot?"*[3] La femme du narrateur prononce son nom. De surcroît d'emprunter le vrai nom de Modiano, le narrateur souffre de l'absence et de la négligence de ses parents comme notre écrivain. Quand Ingrid lui demande à propos de ses parents : *"vous avez des parents?"*

il dit *"Je ne les vois plus, lui ai-je-dit."*4

---

[1]ARMEL,Aliette,« **MODIANO PATRICK (1945)** »,*EncyclopædiaUniversalis*[en ligne], consulté le 2 octobre 2015.URL : http://www.universalis.fr/encyclopedie/patrick-modiano/

[2]MAURY, Pierre, entretien, **Etrange caravane**, dans Magazine littéraire N°302, Paris Septembre 1992, p. 100.

[3] MODIANO (Patrick),**Voyage de noces**, p.26

4 ID, Ibid, P.39

A cause de l'amnésie, le narrateur de *Rue des boutiques obscures* ne se souvient pas de son passé et Modiano ne met pas la lumière sur sa vie privé, c'est pourquoi, nous ne trouvons pas de points communs entre l'écrivain et le narrateur dans ce roman que l'état de la quête.

En réalité, le roman *Pedigree* est le modèle exemplaire de ce genre littéraire puisque le narrateur raconte sa vie privée ressemblante la vie privée de Modiano avec ses petits détails :

"Je suis né le 30 juillet 1945, à Boulogne-Billancourt, 11 allée Marguerite, d'un juif et d'une Flamande qui s'étaient connus à Paris sous l'Occupation. J'écris juif, en ignorant ce que le mot signifiait vraiment pour mon père et parce qu'il était mentionné, à l'époque, sur les cartes d'identité. Les périodes de haute turbulence provoquent souvent des rencontres hasardeuses, si bien que je ne me suis jamais senti un fils légitime et encore moins un héritier."[1] Le narrateur apporte la même date de naissance, le lieu de la naissance et la même origine.En bref, Modiano fait un mélange entre le réel et la fiction. Ce genre littéraire devient un moyen pour retrouver sa vie et il domine le destin de ses personnages selon son goût.

3-3-2-Le calque du roman policier

Les romans de Modiano selon notre lecture se distinguent par l'ambiguïté et l'atmosphère trouble comme dans les romans policiers. Ses narrateurs sont durablement dans un état de recherche, recherche de quelqu'un ou de quelque chose comme le détective ou le policier dans le roman policier. Dans un certain entretien, Modiano montre sa fascination de la lecture du roman policier surtout les romans de Simenon en disant :*"J'ai beaucoup*

---

[1] ID, *Un pedigree*, p. 7.

lu Simenon. Cette précision m'aide à exprimer des choses, des atmosphères où tout se dilue."[1]

Quant à la différence entre le roman modianien et le roman policier, nous devons d'abord mettre l'accent sur les règles principales du roman policier. Le grand théoricien Roland Barthes montre les composants du roman policier en disant :

"La proposition de vérité est une phrase "bien faite"; elle comporte un sujet (le thème de l'énigme), l'énoncé de la question (la formulation de l'énigme), sa marque interrogative (la position de l'énigme), les différentes subordonnées, incises et catalyses (les détails de la réponse), qui précèdent le prédicat final (le dévoilement)."[2]

Dans la plupart des romans de Modiano, le crime n'est pas présenté, comme dans le roman *Rue des boutiques obscures* où l'histoire du crime est remplacée par l'histoire de l'amnésie du héros. L'enquête policière est remplacée par la quête identitaire. Les questions principales et logiques qui justifient l'enquête dans le roman policier sont les suivantes: **Quelles sont les circonstances du crime? Qui est le coupable? Pourquoi a-t-il tué?** Dans le cas de *Rue des boutiques obscures*, ces questions deviennent: **Quelles sont les circonstances de l'amnésie? Qui suis-je? Pourquoi suis-je amnésique?**

Donc, le rôle du lecteur dans le roman modianien est plus important que celui dans le roman policier puisqu'il reste destinataire seulement. le lecteur chez Modiano aide le narrateur à répondre à ses questions. Pendant la lecture de deux romans, nous observons qu'il y a beaucoup de questions lancées par le narrateur à son âme : *"Avais- je connu cette très vieille dame pour laquelle on célébrait l'office?"[3]et Qui suis-je?[4] et: "*

---

[1]MURY, Pierre, Op, Cit, p. 104.
[2]BARTHES, Roland, **Œuvres complètes**, Tome II, Edition du Seuil, 1994, p. 611.
[3]MODIANO(Patrick), **Rue des boutiques obscures**, p.34
[4] ID, Ibid, P.106.

M'aurait-il reconnu?"[1]; "De quoi aurions –nous parlé? et si elle avait fait semblant de ne pas mereconnaître? Semblant?"[2]et en même temps,les questions du lecteur s'accumulent de page en page avec les questions du narrateur.

En effet, dans le roman policier, le lecteur atteint la fin de la route de la quête pour connaître la vérité et cela *"tend à bloquer la réversibilité du texte, à réduire la polysémie et la polyphonie."[3]*Mais dans le roman modianien le lecteur n'arrive jamais à une solution finale de sa quête. Modiano lance au lecteur une chance remarquable par l'usage de son imagination de continuer sa quête privée pour découvrir de nouvelles pistes. Par conséquent, il ne sent jamais la monotonie, le sentiment de la routine et la déception bien qu'il y ait une ressemblance évidente parmi ses romans puisque chaque roman devient comme un nouveau chapitre dans le même livre :

"La levée du mystère et l'établissement des culpabilités engendrent une déception en mettant fin à la tension de l'attente et au désir qu'elle procure."[4]

D'autre part, le sentiment de méfiance et de peur qui se transmettent au lecteur pendant le voyage de quête est aussi un des traits de convergence avec le roman policier. Le narrateur modianien est durablement méfiant. Guy Roland le narrateur de *Rue des boutiques obscures* éprouve tout au long du roman la peur :

"Je suis seul. De nouveau, la peur me reprend, cette peur que j'éprouve chaque fois que je descends la rue Mirabeau, la peur quel'on me remarque, que l'on m'arrête, que l'on me demande mes papiers."[5]

---

[1] MODIANO(Patrick), **Voyage de noces**, p.22
[2] ID,**Voyage de noces**, p.22
[3] EVRARD, Franck, Op, Cit, p. 14.
[4] ID, Ibid, p. 15.
[5] MODIANO(Patrick),**Rue des boutiques obscures**, p.168

Dans ce passage le narrateur souffre de la peur, cette peur est liée à l'espace *la rue Mirabeau* et le retour de certains souvenirs. Dans le même paragraphe le narrateur décrit lui-même comme un criminel, craint d'être poursuivre de la police.

En un mot, Modiano ne suit pas complètement les règles strictes du roman policier mais il en choisit ce qui est convenable pour créer une atmosphère trouble et ambigüe.

3-3-3-Le calque du Nouveau roman

Tout d'abord, le nom du Nouveau roman se lance sur de nouvelles tendances dans la littérature française. Ces nouvelles tendances sortent de la tradition ou des règles littéraires :

"De nouveaux auteurs ne cessent de fleurir un peu partout, avec des œuvres électriques, protéi formes, parfois difficiles à classer tant leurs livres, leur mode et leur rapport à la littérature sont différents de ce qu'on avait connu avec leurs aînés. (…). Chacun (…) taille, en solitaire mais surtout en dehors de vieux courants, sa propre route, élargissant ainsi le champ romanesque français et interrogeant ainsi le réel avec un talent inégal."[1]

Dans les romans classiques le personnage doit avoir des traits caractéristiques propres à lui comme son nom, son prénom, sa famille et son métier mais chez Modiano, ses héros sont privés de ces caractéristiques par exemple nous pouvons voir un héros sans identité comme Guy Roland le héros de *Rue des boutiques obscures*. A cause d'un accident, Guy perd sa mémoire et devient sans passé. Tout au long du roman, il tente de retrouver cette mémoire et se demande qui est-il?

Ingrid, l'héroïne de *Voyage de noces* souffre de l'absence de la famille à cause de son origine juive autrichienne. En un mot, cette absence du nom,

---

[1] OLIVIER, Le Naire,**Le roman français est-il nul ?** , L'Express du 20/081/1998, p. 55

d'identité, d'origine et de famille des personnages qui distingue le Nouveau roman, existe parmi les traits de romans de Modiano.

Conclusion

Nous avons traité et déchiffré, à travers ce chapitre, quelques aspects et quelques éléments paratextuels et narratifs dans l'œuvre de Patrick Modiano. En effet, nous avons déduit que les éléments les plus proches du texte et qui émanent soit de l'auteur, soit d'un narrateur doivent être pris en considération au moment d'un déchiffrement littéraire. Les éléments paratextuels comme le titre, la dédicace, lacouverture, l'incipit sont le moyen du lecteur d'entrer et de captiver la problématique de texte déchiffré même avant la lecture, nous avons déduit qu'il y a un rapport étroit et complétif entre le dedans et le dehors de l'œuvre modianienne ou entre (le texte et hors texte). Ces éléments paratextuels facilitent et précisent la mission du lecteur, de plus, ils empêchent sa confusion. Les éléments paratextuels dans l'œuvre modianienne semblent comme un processus de métadiscours ou de métatexte.

Modiano a choisi des titres pour ces romans très attractifs. Nous avons observé que ces titres ont un grand rapport avec l'espace. D'autre part, Modiano ne s'intéresse pas à utiliser la dédicace dans ses romans mais quand il l'utilise, elle est courte, brève et transmet un certain message. La couverture de Modiano reflète la problématique principale du livre à travers les dessins et l'image.

Quant à l'approche narrative, nous y avons traité les deux romans modianiens d'un point de vue théorique en mettant en relief quelques passages qui s'appliquent avec la méthode narrative. Notre étude nous a permis de déterminer une image-type du narrateur modianien et nous avons résumé ses caractéristiques principales. Nous avons trouvé un narrateur homodiégétique, un narrateur qui recourt à la proximité, à la focalisation interne. Tous ces choix servent à donner l'illusion de la crédibilité et de l'authenticité dans la narration. De plus, la prédominance de la psychologie du narrateur caractérise les romans de Modiano plutôt que la structure du récit. De surcroît de la fonction narrative, le narrateur modianien conserve la fonction de régie mais il renonce à d'autres fonctions. Donc, le lecteur devient sans guide pendant la lecture. D'autre part, la mode rétro, l'économie narrative et l'hybridité ou la multiplicité extrême des traits génériques montrent l'habilité de Modiano et sa compétence   dans   l'écriture.

Conclusion générale

L'identité représente pour l'homme la valeur dans son environnement, sans identité il devient sans importance sans valeur. Au terme de notre étude, nous pouvons déduire en conclusion les résultats de notre recherche.

Dans le premier chapitre de notre étude, nous avons étudié les figures de la crise identitaire chez Patrick Modiano en abordant deux axes principaux : les aspects de la crise identitaire comme la misère de l'Occupation et la déchirure familiale, l'autre axe a mis l'accent sur l'impact de la crise identitaire sur l'écriture modianienne. D'abord, nous avons découvert que la misère de la guerre ne se termine pas après la fin de la guerre mais son influence s'étend aux générations suivantes comme dans l'état de notre écrivain. Modiano ne vit pas la période de l'Occupation mais le thème de l'Occupation devient un des thèmes majeurs chez lui. Il ne s'intéresse pas à décrire les événements historiques pendant l'Occupation mais il s'intéresse à refléter l'atmosphère où ses personnages ont vécu dans cette période.

Dans le même chapitre, nous avons trouvé que la famille est la source de protection et de sécurité de l'homme. Quand il souffre de l'absence de sa famille, il devient sans protection et sans sécurité. Modiano souffre d'une enfance déchirée : l'absence du père, la négligence de la mère et la mort du frère. Il subit une insuffisance paternelle. Par conséquent, il trouve dans le monde imaginaire de l'écriture une solution à son problème. Il crée parfois une famille idyllique désirée pour compenser ou remplacer sa vraie famille, parfois il décide de se venger en présentant des modèles négatifs de son père comme nous avons déjà mentionné. Tous ces facteurs aident à la construction d'une identité fragmentée. Malgré l'origine juive de Modiano, il ne s'intéresse pas à présenter les traditions et les coutumes des juifs mais il met l'accent sur leur vie misérable à travers la citation de presque un seul personnage juif dans l'œuvre.

D'autre part, nous avons trouvé que le personnage-type de Modiano s'appuie sur la communication non verbale pour transmettre son message et cela reflète sa faiblesse et son incapacité à affronter les autres et la société. Il préfère mettre les accessoires comme les chapeaux et les lunettes de soleil pour se cacher de la société. Ce personnage préfère la fuite. Nous avons trouvé quelques gestes courants entre les personnages comme le froncement des sourcils qui reflète l'inquiétude et l'insécurité du personnage. La manière de parler soit par le chuchotement, soit par le murmure ou par le silence reflète l'état de l'ambigüité.

Quant au deuxième axe l'onomastique, nous avons découvert que le personnage-type modianien affronte un problème avec le nom qui est la première étape de la définition de l'identité de l'homme. Parfois, le personnage-type de Modiano ne sait pas son nom vrai et tente tout au long du roman de le trouver comme dans l'état de notre héros Guy Roland dans *Rue des boutiques obscures* où parfois il tente de cacher son nom comme le cas d'Ingrid Thyrsen dans *voyage de noces.*

Le personnage-type de Modiano est marqué par des phénomènes psychiques comme l'errance, la nostalgie et la marginalité. Nous avons découvert que ce personnage préfère l'errance afin de retrouver une identité perdue ou afin de fuir le refus de la société.

L'identité, notre fil conducteur a continué au deuxième chapitre qui a mis l'accent sur le lieu et sa relation aux souvenirs d'après une approche sémiotique. Modiano a vu que les lieux ont la capacité de conserver les souvenirs du passé et de cette manière les lieux jouent un rôle à retrouver l'identité. Dans ce chapitre, nous avons découvert que l'espace occupe une grande place dans les œuvres modianiennes à cause de l'errance des personnages modianiens entre un espace policier, un espace clos et un espace ouvert. Modiano préfère l'espace policier dans beaucoup de scènes dans notre corpus car cet espace est convenable avec les événements ambigus de la recherche. Les héros deviennent comme un détective et tente de résoudre le mystère de son identité à l'aide des lieux. Donc, l'espace n'est pas un élément ordinaire à la construction du roman modianien mais il reflète des dimensions très importantes.

Dans le troisième chapitre de notre étude, nous avons présenté une étude d'une approche paratextuelle et narrative. Nous avons remarqué que Modiano utilise quelques signes et quelques termes paratextuels qui méritent d'être étudiés comme les titres, La couverture, l'incipit…etc.. Nous avons découvert qu'il y a une cohérence entre le hors-texte et le texte lui-même, que le hors-texte modianien n'est pas utilisé seulement comme un décor, mais il présente des informations illustratives, analytiques et complétives.

En ce qui concerne l'approche narrative, nous avons mentionné un narrateur-type chez Modiano. C'est un narrateur homodiégetique, un narrateur qui préfère la proximité et la focalisation interne. De plus, la prédominance de la psychologie du narrateur puisque le narrateur dans beaucoup de temps se demande Qui suis-je? Sans arriver à la réponse.

Modiano ne s'intéresse pas aux fonctions du narrateur sauf la fonction de régie, dans la quelle, le narrateur a été capable de retourner au passé. Donc, le lecteur chez Modiano est un élément actif et assume la responsabilité à résoudre les mystères dans le roman. Modiano a laissé la fin de la plupart des romans ouverte pour exploiter l'imagination du lecteur. Quant à son style, nous avons trouvé que l'écriture modianienne se distingue par l'économie narrative, le retour au passé et l'habilité de l'hybridité puisque Modiano est capable de métisser beaucoup de genres littéraires comme le roman policier, le roman autobiographique et le Nouveau roman dans son œuvre.

Modiano a la chance d'exprimer son problème avec l'identité à cause de la guerre, de l'Occupation et de l'insuffisance paternelle dans son écriture mais il y a beaucoup de gens qui ont le même problème de Modiano. Il devient comme le porte-parole de sa génération. Malheureusement, dans notre région arabe, nous pouvons voir tout ce qui se passe en Syrie, en Irak, au Yémen, ces peuples affronteront un problème d'identité à cause des conflits intérieurs.

Après un long travail concernant l'œuvre modianienne, il y a des champs qui restent encore inconnus. Cette étude pose encore des questions dont les réponses sont inaperçues ou insuffisamment aperçues : Quelle est la nécessité du temps et l'importance du passé dans l'œuvre modianienne? Quelle est la poétique de la structure de la phrase chez Modiano pour renforcer l'état de la quête. Cela ouvre la porte à d'autres recherches.

Bibliographie

I-Corpus
1-MODIANO, Patrick, *Rue des Boutiques Obscures*, Paris, Éditions Gallimard, 1978, « Collection Folio », 251 p.
2-ID, *Voyage de noces*, Paris, Éditions Gallimard, 1990, « Collection Folio » 158 p.

II. Autres œuvres de Modiano
1- MODIANO, Patrick, **Dora Bruder**, Paris, Gallimard, 1999, 144 p.
2- ID, **Livret de famille**, Paris, Gallimard, 1977, 214 p.
3- ID, **Un pedigree**, Paris, Gallimard, 2005, 126 p.
4- ID, **La Place de l'Étoile**, Paris, Gallimard, 1968, 214 p.
5- ID, **Quartier perdu**, Paris, Gallimard, 1984, 182 p.

III- Ouvrages consacrés à l'œuvre de Modiano
1-BLANCKEMAN, Bruno, **Lire Patrick Modiano**, Paris, Armand Colin, 2009.
2-GELLINGS, Paul, **Poésie et mythe dans l'oeuvre de Patrick Modiano, le fardeau du nomade**, Paris-Caen, Lettres modernes Minard, coll. « Situation 55 », 2000.
3-JULIEN, Anne-Yvonne, **Modiano ou les intermittences de la mémoire**, Hermann, 2010.

4- Nettelbeck, Colin et A. Hueston, Pénélope, **Patrick Modiano, Pièces d'identité. Ecrire l'entre-temps**, Editions Minard, Collection Archives des lettres modernes, N° 220, Paris 1986.

IV-OEuvres de critique littéraire
1- BACHELARD (Gaston), **La Poétique de l'espace**, PUF, 1998.
2-Bancquart, Marie-Claire et Pierre, CAHNE, **Littérature française du XX siècle**, PUF, Paris, 1992.
3- BARTHES, Roland , **Le degré zéro de l'écriture suivi de Nouveaux Essais critiques**, Éditions du Seuil, 1972.
4- ID, **Œuvres complètes**, Tome II, Edition du Seuil, 1994.
5-BOURNEUF, R., OUELLET, R., **L'univers du roman**, ed. P. U. F., 1972.
6- ÉVRARD (Franck), **Lire le roman policier**, Paris, Dounod, 1996.
7-GENETTE, Gérard, **Figure II**, coll. « Tel Quel », 1969.
8- ID, **Nouveaux discours du récit**, Paris, Seuil, 1983.
9-ID, **Seuils**, Paris, Seuil, 1987.
10-GOLDENSTEIN, Jean-Pierre, **Entrée en littérature**, Hachette, 1990.
11-ID, Jean-Pierre, **Lire le roman**, De Boeck, Paris, 2005.

12- GUIRAUD, Pierre et RUENTZ, Pierre, **La stylistique**, Séries A. Lectures, Editions Klincksieck, Paris, 1975, p. 139.

13-HAMON, philipe, **Texte et idéologie**, Paris, Presses Universitaires de France, 1984.

14-LANE, Philippe, **La Périphérie du texte**, Paris, Université Nathan, 1992.

15-JOUVE (Vincent),**La Poétique du roman**, Paris, Armand Collin/VUEF, 2001.

16-MILLY, Jean, **Poétique des textes**, Armand Colin, Paris, 2005.

17-RAIMOND, Michel, **Le Roman**, 2è édition, Armand Colin, Paris, 1987.

18-TADIE, Jean- Yves, **Le Roman Poétique**, éd. P. U. F., Paris, 1994.

V-Ouvrages d'ordre sémiotique

1- BARRIER, Guy, **La Communication non verbale. (Comprendre les gestes et leur signification).** ESF éditeur, 2014.

2-CANVAT, Karl, *La fable comme genre. Essai de construction sémiotique,* In Pratiques, 1996.

3-COSNIER, Jacques, **« Les Gestes du dialogue »** in *La Communication – État des savoirs,* Paris, Éditions Sciences Humaines, 1998.

4-DOMENJOZ, Jean-Claude, **L'approche sémiologique**, Contribution présentée dans le cadre de la session I du dispositif de formation 1998-1999 «catégories fondamentales du langage visuel», Septembre 1998.

5-HAMON, Philippe, **pour un statut sémiologique du personnage**, in Poétique du récit, seuil, Paris, 1977.

6- WINKIN, Yves, **La nouvelle communication**, paris, Seuil, 1981.

VI-Ouvrages d'ordre linguistique

1- JAKOBSON, Roman, **Essais de linguistique générale**, Minuit, 1973.

2-PEIRCE , Charles Sanders, **Ecrits sur le signe**, Paris, Seuil, 1978.

3-TISSET, Carole, **Analyse linguistique de la narration**, Séides, Paris, 2000.

VII-Ouvrages généraux

1-BAREL, Yves, **La Marginalité sociale**, Paris, PUF, 1982.

2- BUTOR, Michel, **Les Mots dans la peinture**, Flammarion, 1969.

3- CAMET, Sylvie, **Les Métamorphoses du moi. Identités plurielles dans le récit littéraire XIXe – XXe siècles**, Paris, L'Harmattan, 2007.

4-DEPARDON, Raymond, **Errance**, Paris, éditions du Seuil, 2003.

5-DUBOSCLARD (Joël), **Dora Bruder de Patrick Modiano**, Hatier, 2006.

6- FIZE (Michel), **La famille**, Paris, Le Cavalier bleu, coll. Idées reçues, 2005.

7-*GORTFI, Ouafae*, **« A la recherche de l'identité perdue. Les femmes marocaines de Le Clézio** », in *Ailleurs et Origines*, Toulouse, Univ. Du Sud, 2006.

8-HALBWACHS, Maurice, **La Mémoire collective**, paris, Albin Michel, 1997.

9-HANUS (Françoise) et NAZAROVA (Nina), **Le Silence en littérature**, paris, L'Harmattan, 2013.

10-JOLY, Martine, **L'image et les signe**, Nathan Université, 1994.

11-LÉVY, Clara, **Écriture de l'identité : les écrivains juifs après la Shoah**, Paris, Presses universitaires de France, 1998.

12- MARC, Edmond, **Psychologie de l'identité : soi et le groupe**, Paris, Dunod, 2005.

13-MUCCHIELLI, Alex , **L'Identité,** Paris, Presses universitaires de France, 2009.

14-OLIVIER, Philippe, **Le film policier français contemporain,** Paris, Cerf, 1996.

15- ROUSSO, Henri, **Le syndrome de Vichy de 1944 à nos jours**, Paris, Seuil, 1990.

16-NETTELBECK, Colin W., et HUESTON, Pénélope A., **Patrick Modiano, pièces d'identité : écrire l'entretemps**, Paris, Lettres modernes, 1986.

VII- Dictionnaires.

1-Beaumarchais, Jean-Pierre, **Dictionnaire des littératures de langue française,** Bordas, Paris.1999.

2-BLOCH, (Henriette), ERIC, (Roland Chemama), «**Grande dictionnaire de la psychologie »,** Paris, Larousse, 1999.

3-Gardes-Tamine, Joëlle et Marie Claude, Hubert**, Critica : dictionnaire de critique littéraire,** Cérès, Tunis, 1998.

4- ROBERT (Paul), **Le Petit Robert : Dictionnaire de La Langue Française, Dictionnaire le Robert,** Paris, Juin 1996.

VIII-Thèses consultés.

1-ANDREEVA, Hélène, **L'ÉCRITURE DE PATRICK MODIANO OU LA FRUSTRATION DE L'ATTENTE ROMANESQUE,** THÈSE DE DOCTORAT EN SCIENCES DU LANGAGE, UNIVERSITÉ DE LIMOGES FACULTÉ DES LETTRES ET DES SCIENCES HUMAINES, 31 janvier 2003.

2-BANZO, Mayté **L'espace ouvert pour une nouvelle urbanité**. Géographie. Université Michel de Montaigne - Bordeaux III, 2009

3- BOLZINGER, Meyer-Dominique, **La maison : un lieu de mémoire ?**, Université de Haute-Alsace (Mulhouse), 1990.

4-ID, **La scène et la piste Configurations spatiales dans _Rue des Boutiques Obscures_,** Université de Haute-Alsace (Mulhouse), 6 décembre 1990.

5- KANE, Momar-Désiré**, Marginalité et errance dans la littérature et le cinéma africain francophone,** Paris, L'Harmattan, 2004.

6-KAPP, David, **La ville irréelle dans les œuvres de Patrick Modiano et Paul Auster**, Université de Rouen, 2003.

7-LAURENT, Thierry, **L'OEuvre de Patrick Modiano, une autofiction**, Lyon, Presses universitaires de Lyon, 1997.

8-MARIKO, Bando, **La mémoire et la fiction dans les œuvres romanesques de Patrick Modiano,** Université de Limoges, 2015.

9- MOHAMED Ahmed Khalil, Saddam , **L'image de la femme dans l'oeuvre d'Assia Djebar: «Femmes d'Alger dans leur appartement » et «Ombre sultane»**, Thèse de Magistère, Faculté Al Alsun, Université de Minia, Egypte, 2015.

10-MOHAMED Magdy, Amany, **Robert Sabatier: Histoire d'une catharsis par écriture**, thèse de doctorat, Faculté Al Alsun, Université de Minia, Egypte, 2003.

11- MOHAMED Saïd, Mecheri, **Les différents aspects du paratexte dans l'œuvre de Jean-Paul Sartre _Le Mur,_** Université KASDI MERBAH Ouargla, 2008.

12-ROUXI, Baptiste, **Les figures de l'occupation dans les romans de Patrick Modiano**, université de Paris IV,1998.

13- SONG, Ki-Jong _La Sémiotique de l'espace dans l'œuvre de Le Clézio._ Le cas de _La Quarantaine,_ Université d'Ewha, Séoul (Corée du sud), _2012._

14- SURÁNY (Lilla), **En quête d'une identité perdue, Mémoire de master en littérature française (littérature et discours) Université Paris 12 Val de Marne,** 2009.

15-Umavijani (Thaniya**), l'homme à la recherche de ses racines dans les œuvres de Patrick Modiano,** Université Silpakprn, 2003.

16-VANT, André, **Marginalité sociale, marginalité spatiale**, Lyon, CNRS, 1986.

VIV- Interviews
1- BUTAUD (Nadia), Entretien, Les Nouvelles littéraires, **Patrick Modiano**, Paris, Textuel, 1972.

2-EZINE, Jean Louis, Entretien, **Les écrivains sur la sellette**. Paris: Le Seuil, 1981.

3-GARCIN, Jêrome. **Paris, ma ville intérieure**, Entretien avec Patrick Modiano. *Le nouvel observateur, 2007*
4-MAURY(Pierre), Entretien, Magazine Littéraire **"Patrick Modiano, Travaux de déblaiement** ", septembre 1992, n°302.

X- Articles
1- Amette, Jacques-Pierre, **[Voyage de noces]**, *Le Point*, 23 avril 1990, PP. 20-21
2-Anex, Georges, **« La vie antérieure [***Rue des boutiques obscures***]**, *Journal de Genève, samedi littéraire*, 30 septembre 1978, *P.30*
3-Autry, François, « **Patrick Modiano, le promeneur solitaire** », *Le Figaro magazine*, n° 1, 7 octobre 1978. pp. 96-97.
4- Assouline(Pierre), Reportage, **"Modiano, lieux de mémoire"**, Lire, mai1990, n° 176. pp. 34-46.
5-Bedner, Jules, « **Modiano ou l'identité introuvable** », *Rapports*, LVIII, 1988, pp.49-67.
6- ID, « **Patrick Modiano : visages de l'étranger** », in *Patrick Modiano*, études réunies par Jules Bedner, Amsterdam-Atlanta, Editions Rodopi BV, coll.« CRIN 26 », 1993. pp. 43-54.
7-OLIVIER, Le Naire, **Le roman français est-il nul ?** , L'Express du 20/081/1998. P.36
8-Stern, Judith, **L'immigration, la nostalgie, le deuil**, Filigrane, numéro 5, 1996, PP.15-25

XI- Webiographie
1-ARMEL, Aliette, « **MODIANO PATRICK (1945)** », *Encyclopædia Universalis* [en ligne], consulté le 2 octobre 2015. URL : http://www.universalis.fr/encyclopedie/patrick-modiano/
2-BLANCHAT (Maurice), **Le livre à venir**, 1959, http://www.site magister.com/travec5.htm (consulté le 11 février 2015)
3-GUTTON, Philippe « **Errance en adolescence** », in Sur le chemin. Voyage thérapeutique, voyage pathologique, actes de la XIXème journée de psychiatrie de Fontevraud, samedi 5 juin 2004, site « psychiatrie angevine ».
4-Hébert, Louis, **L'ANALYSE DES TEXTES LITTÉRAIRES : UNE MÉTHODOLOGIE COMPLÈTE**, Université du Québec à Rimouski (Canada), Numéro de la version : 11.3, Date de la version : 11/11/2013, P. 48 Contact : louis_hebert@uqar.ca
5- KAPRIÈLIAN (Nelly), Entretien, « **Patrick Modiano : "C'est l'oubli le fond du problème, pas la mémoire"** », Les In Rocks, 2012, Consulté le 12 août 2014, disponible sur http://www.lesinrocks.com/2012/09/30/livres/modiano-herbe-des-nuits-entretien-11307847/

6-LIBAN (Laurence), Entretien, L'Express, 2003, **« Modiano »,** Consulté le 12 août 2014, disponible sur http://www.lexpress.fr/culture/livre/modiano_808386.htm

7- MORRIS, Alain, **Patrick Modiano**, Amsterdam-Atlanta, Rodopi B.V., 2000, 129 p., [Consulté le 28 août 2014, disponible sur http://books.google.cz/books?id=5OScOHkOSkkC&printsec=frontcover]

8-Le Monde, Verbatim : le discours de réception du prix Nobel de Patrick Modiano,Paris,http://www.lemonde.fr/prixnobel/article/2014/12 07/verbatim-le-discours-de-reception-du-prix-nobel-de-patrick modiano_4536162_1772031.html#sUZL3O3UOzV0uBR8.99

9- http://perso.orange.fr/reseau-modiano

10-http://fr.wikipedia.org

11-http://www.lexpress.fr/culture/livre/modiano_808386.htm

Annexe

Patrick Modiano avec son petit frère, Rudy (collection particulière)

Luisa Colpeyn, la mère de Patrick Modiano (collection particulière)

Patrick Modiano devant sa bibliothèque (collection particulière)

Première de couverturede : Rue des boutiques obscures

Première de couverture de : Voyage de noces

Table des matières analytique

Table des matières analytique

ملخص

ملخص

من أهم الإشكاليات التى يتعرض لها مجتمعنا العربى الآن هى إشكالية البحث عن الهوية. هذا ما دفعنا لتحليل تلك الإشكالية تحليلاً علميا من وجهة نظر غربية من خلال روايات الكاتب الفرنسى الكبير (باتريك موديانو) الذى يحتل موضوع إشكالية البحث عن الهوية المرتبة الأولى فى موضوعاته الادبيه،مما يفتح لنا الآفاق للوقوف على أسباب تلك الاشكالية ومحاولة الخروج منها بحلول لتفادى تلك الازمة فى مجتمعاتنا. وعليه فإن تلك الدراسه التى بين أيدينا تحاول تحليل المشكله من وجهة نظر علمية.

تنقسم الدراسة إلى ثلاثة فصول ومقدمة و خاتمة

تحدث الفصل الأول والذي يحمل عنوان (**أشكال أزمة الهوية عند باتريك موديانو**). ارتكز هذا الفصل على توضيح الأسباب والدوافع الرئيسية لأزمة الهوية عند الروائى باتريك موديانو.جاء فى المرتبة الأولى من تلك الدوافع فترة الاحتلال الألمانى لفرنسا أثناء الحرب العالمية الثانية وأثرها من الناحية الاجتماعية. ونتج عن تلك الفترة الماساويه تفكك اسرى والذى جاء فى المرتبة الثانية بعد الإحتلال . فى ذلك المحور نناقش دور الأسرة فى إعداد فرد سوى، فقد واجه كاتبنا مشكلة فى اسره منذ الطفولة مثل غياب الأب, إهمال الأم, موت أخيه الأصغر والذى بفقدانه انتهت طفولة باتريك موديانو. عمدت الدراسة فى هذا الجزء إلى توضيح فكرة الهوية الممزقة والتى نتجت بشكل منطقى من المحورين السابقين الذكر مع ذكر أمثلة حية وواقعية سردها الكاتب فى رواياته.وركز هذا الفصل أيضا على تحليل عميق وعلمى لهيئة وشكل أبطال الكاتب والذين يعكسون رؤيته.فقد اهتم هذا الفصل بخروج صورة شبه كاملة الزوايا بدءأ من الاهتمام بطريقة التواصل للشخصيات , الإشارات , طريقة الكلام, ارتداء بعض الإكسوارات التى تعكس صفات معينة لدى الشخصية والتى بدورها تعكس نفس الصفات فى شخصية كاتبنا. المحور الثانى اعتمد فى هذا الفصل على توضيح أهمية اختيار أسماء الشخصيات لدى الروائى باتريك موديانو,اما المحور الثالث فقد اهتم بتوضيح النتائج النفسية التى تصيب الباحث عن هويته ومنها حالة الشرود التى تصيبه, فضلا عن حالة التهميش التى تميزه فى المجتمع سواء كانت إرادية أو لاإرادية.

أما عن الفصل الثانى : **دلالة المكان فى أعمال باتريك موديانو**, فكما نحن نعلم أن هناك ارتباطاً وثيقاً بين الاماكن والذكريات فإن الأشخاص ربما تختفى أو ترحل ولكن الأماكن تحتفظ بالذكريات فتظل باقية مع وجود المكان. لم يكن المكان ودلالته عنصراً مكملاً فى أعمال الروائى موديانو بل احتل مكانة متميزة كعنصر أساسى فى رواياته. نتناول فى هذا الفصل فكرة تنوع الأماكن لدى الكاتب ودلالة كل نوع فهناك أماكن مفتوحة مثل المدن والشوارع وهناك أماكن

مغلقة مثل المنازل والحانات. من ناحية أخرى اهتمت الدراسة بتوضيح قيمة ودلالة أماكن بعينها في رواياته.

أما عن الفصل الثالث فهو يقدم دراسة لأعمال الكاتب باتريك موديانو وفقا للقواعد المنهجية حيث وضحت الدراسة كيف يمكن تطبيق بعض قواعد المنهج السردى بهدف الوصول إلى صورة مكتملة الأركان للراوى في أعمال باتريك موديانو وما هو دور القارى هل هو دور ثانوى ام دور رئيسى. وأيضا تناول هذا الجزء من الدراسة الاطار الخارجى للنص الأدبى وما يتعلق بالنص من عناصر خارجية مثل العناوين الرئيسية و الأفتتاحية والخاتمة والإهداء ...إلخ

أما عن الخاتمة فعرضنا فيها ما خلصت إليه الرسالة وهى بعض النتائج التى من أبرزها الوقوف على أهم العوامل والدوافع التى تؤدى لضياع الهوية. توصلنا أيضا إلى نتيجة تقول بأن الشعوب التى تعانى من الحروب لا ينتهى بها الحال عند انتهاء فترة الحرب بل تحدث تاثيراً سلبياً على الأجيال المتتالية خاصة تاثير نفسى. بالإضافة إلى التاكيد على أهمية الاتصال ولكن بغير الطرق التقليدية فى توصيل رسالة ما مثل الإشارات ,مستوى الصوت أثناء الكلام أو الصمت نهائيا.أيضا استطعنا من خلال تلك الدراسة الربط بين المكان والاحتفاظ بالذكريات.وأخيراً الوصول إلى نتيجة تفيد بأن دراسة الإطار الخارجى للعمل الأدبى قد تكون مفتاحاً لفك طلاسمها ومساعدة القارئ.

جامعة المنيا

كلية الالسن

قسم اللغة الفرنسية

اشكالية البحث عن الهوية

فى روايتى)شارع الحوانيت المعتمة(و)رحلة شهر العسل(للكاتب

باتريك موديانو. دراسة تحليلية.

بسمة محمود محمد نور الدين